LE LIVRE D'OR
IRLANDE

Texte de
FRANCES POWER

Photographies de
GHIGO ROLI

DUBLIN

Whitepark
Bay Ballintoy
Giant's Causeway Carrick-a-rede Bridge
Inishowen Dunluce Bushmills Torr Head
Castle Distillery
ANTRIM Carnlough
Bunbeg Grianan Glenarm
of Aileach Derry DERRY
Letterkenny Ballymena
DONEGAL Carrickfergus
Malin Beg NORTHERN
TYRONE Ulster History Park Lough Neagh BELFAST
Donegal ULSTER
Omagh IRELAND Mount Stewart
Killybegs Boa Island
Lower Lough Enniskillen Downpatrick
Erne Armagh
Benbulben FERMANAGH Navan Fort St Patrick's DOWN
Drumcliff Upper Lough Monaghan Cathedral Mourne Mountains
Sligo Erne ARMAGH Silent Valley Newcastle
Carrowmore Parke's Castle Kilkeel
Ballina LEITRIM MONAGHAN Greencastle
SLIGO Cavan Dundalk
Carrick-on- CAVAN LOUTH
Shannon St Muiredach's Cross
Lough Boyle Mellifont Drogheda
Conn ROSCOMMON Abbey
Castlebar Longford Navan Newgrange
MAYO Bective Abbey
Westport CONNAUGHT LONGFORD Trim Castle Hill of Tara
Roscommon Lough Ree MEATH
Lough Mullingar Castletown
Mask Cong House DUBLIN
Kylemore WESTMEATH DUBLIN
Abbey Ross Errilly Abbey LEINSTER
Clifden Lough Ballinasloe Fair Clonmacnois OFFALY KILDARE
Corrib GALWAY Monastery Japanese Naas
Galway Tullamore Gardens
Dun Aenghus Inishmore Ballyvaughan Dunguaire Castle Irish National Glendalough
ARAN The Burren Aillwee Caves Birr Portlaoise Stud Wicklow
ISLANDS Poulnabrone Dolmen Lough WICKLOW
Doolin Lisdoonvarna Derg LAOIS
Cliffs of Moher CLARE Nenagh Browne's Hill Dolmen
Ennis Carlow
Bunratty Castle Kilkenny CARLOW
Shannon King John's Castle TIPPERARY The Castle
Adare Village Limerick KILKENNY WEXFORD
Tralee Lough Gur Jerpoint Wexford
Kilmakedar LIMERICK Rock of Abbey
Church MUNSTER Cashel R. Suir
Gallarus Conor Pass Inch R. Blackwater Waterford Kilmore Quay
Oratory Dingle Village KERRY Killarney WATERFORD Crystal
Dunbeg Lakes of CORK Dungarvan Hook Head
Fort Killarney Lighthouse
Ring of Kerry Kenmare Cork City
Garnish Island Cobh Village
Seal Island Kinsale
Bantry House Timoleague
Barleycove Beach Abbey Drombeg
Mizen Head

○ Villes, Villages

● Lieux d'intérêt historique, artistique
et touristique

Les toponymes en gras se réfèrent aux lieux décrits
dans cette publication.

INTRODUCTION

L'Irlande a eu une histoire houleuse et de nombreuses vagues de colons, chacun laissant une trace sur le paysage: mégalithes, monastères, châteaux ou grands manoirs. Les premiers, vivant de chasse et de cueillette, vinrent aux alentours de 6000 avant notre ère, suivis des fermiers de l'âge de la pierre qui défrichèrent la terre, cultivèrent le sol et laissèrent derrière eux de grands monuments de pierre, de nombreux dolmens et des cercles de monolithes. Avec l'âge du bronze, les méthodes de construction deviennent plus sophistiquées; il suffit de penser aux forts impressionnants de Dun Aenghus sur l'île d'Inishmore et de Grianán of Aileach dans le Donegal.

Une centaine d'années plus tard environ, les Celtes d'Europe centrale débarquèrent en Irlande. Ils vivaient dans des structures défensives telles que des anneaux fortifiés, des "raths" (enceinte composée d'épais murs de terre en général circulaire) et des "crannógs" (structure de bois ou ancien habitat) dont plus de trente mille existent encore. Leur adresse dans le travail des métaux est à voir dans les magnifiques pièces de bronze exposées au National Museum de Dublin. Sous la domination des Celtes, l'Irlande était divisée en cinq provinces dont l'Ulster, le Munster, le Leinster et le Connacht existent encore. Chaque province était partagée en petits royaumes gouvernés par un chef, et tous étaient supposés être sous l'égide d'un roi suprême qui régnait à Tara dans le comté de Meath.

En 432 de notre ère, vint saint Patrick rapidement suivi par d'autres missionnaires, et petit à petit le christianisme s'infiltra dans l'Irlande païenne. Pendant que l'Europe pâtissait du chaos du Haut Moyen Age, l'Irlande devenait un des centres du christianisme et du savoir. Des missionnaires, tels que saint Colomban, accoururent d'Europe pour y fonder écoles et universités. Bon nombre des sites monastiques remontent à cette période, les plus remarquables étant Clonmacnois sur la Shannon, Glendalough dans le comté de Wicklow et Kells, où l'étonnant livre The Book of Kells aurait été écrit. Ces monastères recelaient de grands trésors - des châsses en or savamment travaillées et des manuscrits enluminés. Ce fut la promesse de tels trésors qui attira la vague suivante d'envahisseurs, les Vikings, à la fin du treizième siècle. Leur arrivée provoqua la première tentative d'une défense irlandaise unifiée. A la bataille de Clontarf, en 1014, Brian Boru, roi suprême de l'Irlande, commanda une alliance de chefs gaéliques contre les Scandinaves. Ils remportèrent une victoire décisive. Les Vikings s'allièrent aux Irlandais et, pendant quelques années, il y eut la paix.

Une querelle en 1169 incita le roi déposé de Leinster, Dermot MacMurrough, à chercher secours auprès d'Henri II d'Angleterre pour reconquérir son royaume. Henri envoya Richard FitzGilbert de Clare, mieux connu sous le nom de Strongbow, et ses forces anglo-normandes en Irlande. C'est à partir de cet épisode que la domination anglaise commença.

L'un des nombreux dolmens construits par les colons de l'âge de pierre.

Strongbow épousa la fille de Mac-Murrough, Aoife, et devint roi de Leinster, en établissant fermement les Anglo-Normands au pouvoir. Dès le quinzième siècle, malgré les tentatives désespérées des monarques anglais et l'adoption des Statuts de Kilkenny, proscrivant les mariages mixtes, l'usage du gaélique ou le port du costume traditionnel, les Anglo-Normands étaient bien intégrés dans la culture gaélique et l'influence anglaise s'était réduite autour de Dublin connue sous l'appellation de "The Pale" (ou enclave anglaise).

Ce ne fut que sous Elisabeth Ire que le pouvoir des chefs Gaëls fut réduit en cendres. La défaite la plus cuisante fut celle des comtes d'Ulster, à la bataille de Kinsale, en 1601. Quelques années plus tard, lors de "la fuite des comtes", les grands chefs d'Ulster, O'Neill et O'Donnell quittèrent l'Irlande et firent voile vers le continent, marquant ainsi la fin de la toute-puissance de l'aristocratie gaélique en Irlande. Le vide au pouvoir qui y fit place - et le fait que de larges étendues de terre appartenant jadis à ces Gaëls furent confisquées par la Couronne - ouvrit la voie à une colonisation à grande échelle de l'Ulster, composée surtout de presbytériens écossais et de colons anglais. Lorsque les Irlandais catholiques de la région furent chassés pour laisser la place aux colons, les germes de la discorde qui déchire encore l'Irlande du Nord étaient semés.

Dans les années 1640, Oliver Cromwell détourna son attention de la guerre civile anglaise pour s'attacher à la rébellion irlandaise, qui fut réprimée avec une constance sans précédent. Dès les années 1660, décimés par les massacres de Cromwell, la peste et la famine qui suivirent, seuls 500.000 Irlandais de la région survécurent. Une série de lois, connues comme lois pénales, augmentèrent la soumission des catholiques irlandais et des dissidents, limitant: pratique religieuse, culture, droit à la propriété et pouvoir. Durant le siècle suivant, ce fut au tour des protestants anglo-irlandais, qui avaient connu une remarquable prospérité, de chercher à s'affranchir de l'autorité coloniale.

En 1782, la classe dirigeante anglo-irlandaise obtint un Parlement pour ainsi dire indépendant à Dublin, et le pis des lois pénales fut abrogé. En 1798, influencée par la Révolution française, la rébellion des Irlandais Unis débuta. Elle fut infructueuse et de courte durée. En réponse, l'Acte d'Union fut passé en 1800, amalgamant le Parlement irlandais à celui de Westminster et mettant un terme à l'indépendance irlandaise.

La paysannerie irlandaise essuya un autre désastre. A partir de 1845 - 1849, les récoltes de pommes de terre vinrent à manquer. Les deux tiers du pays survivaient grâce à cet aliment, et son manque conduisit à une famine d'une proportion inimaginable, réduisant la population de 8 à 4 millions, dès 1851, par l'émigration, la maladie et la disette.

Malgré les ravages, les mouvements nationalistes continuèrent de grandir pendant le dix-neuvième siècle. Et ce fut la croissance des mouvements de masse tels que celui du Land Lead ou du Home Rule - qui unissaient les différentes branches du nationalisme pour faire pression sur le gouvernement anglais - qui accentuèrent la montée d'une identité nationale cohésive.

En 1912, malgré la forte opposition des protestants de l'Ulster, un projet de Home Rule fut voté. Mais La Grande Guerre intervint avant que la loi ne puisse être appliquée et tous les Irlandais s'enrôlèrent en masse pour combattre aux côtés de l'Angleterre. En 1916, un autre soulèvement eut lieu. Sous Eamon De Valera, un gouvernement provisoire fut fondé à Dublin avec Michael Collins comme dirigeant de l'aile militaire et la guerre d'indépendance commença.

En 1920, une loi adoptée par le gouvernement d'Irlande créa deux Parlements distincts pour le Sud, englobant les vingt-six comtés de la République actuelle, et le Nord, conte-

Ci-contre, en haut, *une pierre de Janus datant de l'Irlande païenne, et en bas, quelques légendes et mythes irlandais, comprenant ceux au sujet des fées et des lutins sont censés dater de la même période.*

Sur cette page, *chaque période de l'histoire irlandaise a laissé son empreinte sur le paysage, en haut, le monastère du sixième siècle à Glendalough dans le comté de Wicklow, et en bas, l'abbaye de Jerpoint dans le comté de Kilkenny, qui date du douzième siècle.*

nant les six comtés d'Antrim, Tyrone, Derry, Down, Armagh et Fermanagh. Un traité de paix fut négocié par Michael Collins, entre autres, avec les Britanniques mais l'insatisfaction de De Valera déclencha la guerre civile. La paix fut enfin acceptée après d'âpres combats.

En 1937, De Valera présenta la constitution qui avait sauvegardé les droits civiques de l'Irlande jusque-là et, en 1948, l'Irlande - moins les six comtés - fut proclamée République.

Dans le Nord, après la partition, le pouvoir était resté surtout aux mains des protestants et la discrimination contre les catholiques était monnaie courante, particulièrement au niveau de l'emploi et du logement. En 1968, les partisans des droits civiques manifestèrent pour demander l'égalité des droits. Les manifestants furent attaqués par des bandes loyalistes et des émeutes éclatèrent. L'armée britannique avait été envoyée, au départ, pour défendre la minorité catholique mais les événements prirent de l'ampleur - en 1971, une politique d'internement sans procès fut introduite; en 1972, lors ce que l'on appela le "Bloody Sunday", des parachutistes britanniques tirèrent sur treize partisans des droits civiques désarmés. Les "Provisionals" de l'IRA lancèrent une campagne de bombardement tuant et mutilant des centaines de personnes. En riposte, les organisations paramilitaires loyalistes accomplirent des tueries. Récemment, un espoir d'accord est apparu - un cessez-le-feu, en 1994, et des

"pourparlers en vue de négociations" eurent lieu entre le gouvernement irlandais, les Britanniques et les différentes parties intéressées. Quoique ce cessez-le-feu ait pris fin avec une bombe de l'IRA à Londres, un nouveau cessez-le-feu a eu lieu en 1997 et l'espoir qu'un accord puisse être conclu existe encore.

En 1991, avec l'élection du juriste constitutionnel, Mary Robinson à la présidence, la République d'Irlande semblait avoir atteint sa maturité. L'une des conséquences en était l'intérêt renouvelé pour une culture et une langue irlandaises. Une autre étant un nouvel esprit de libéralisme qui conduisit à la légalisation du divorce en 1996 et à un référendum qui leva l'interdiction sur l'information au sujet de la pratique de l'avortement - même si l'avortement est toujours illégal. Ce libéralisme est, en partie, le résultat du boom économique et implique que les jeunes n'ont plus à émigrer pour chercher du travail ayant ainsi leur mot à dire dans la direction du pays. C'est peut-être dû aussi à une intégration progressive dans l'Europe de l'Ouest. Quelles qu'en soient les raisons, les résultats parlent d'eux-mêmes - une société en pleine évolution, dirigée par une économie forte et une population active jeune et qualifiée.

Certaines choses ne changent pas, cependant. L'Irlande est toujours un pays à la culture riche et unique où les meilleures formes d'expression sont la musique et le récit et, surtout, l'art de la conversation.

Le visage moderne de Dublin, le Centre international des services financiers.

Le climat et la flore

*L*e temps irlandais change constamment et il est assez fréquent de rencontrer plusieurs types de climat au cours d'une seule et même journée. Les courants chauds du Gulf Stream et les vents d'ouest dominants, soufflant de l'Atlantique, assurent des hivers doux et des étés frais, avec beaucoup de pluie et de vent et une température moyenne de 9° - 10.5° C. Et puisque L'Irlande occupe des latitudes moyennes, avec seulement quatre degrés d'écart entre le nord et le sud, elle ne connaît pas de températures extrêmes.

Malgré tout il est possible de distinguer de légères différences entre les régions - le nord-ouest étant plus venteux et plus humide que, par exemple, le sud-est qui se vante du plus grand nombre d'heures de soleil.

La topographie également crée l'un des éléments du contraste et offre une grande variété d'habitats pour la flore. Dans l'ouest, le plateau de calcaire du Burren donne des espèces rares que l'on retrouve plus fréquemment dans des conditions méditerranéennes, alpines ou arctiques. Le littoral est émaillé de dunes de sable, avant tout dans le Wexford, le Donegal, le Kerry et Mayo, qui se réveillent en été diaprées de fleurs sauvages comme l'orchidée et le trèfle pied-de-poule. Dans les terres, la pluie abondante et le faible drainage ont abouti à la formation de marais et de marécages peuplés de roseaux, de violettes, de germandrées aquatiques, de ronces et de mûriers sauvages, alors que des étendues de tourbières dans les régions centrales engendrent de la bruyère, du coton et du myrte des marais ainsi que toute une variété d'herbes.

En haut, *le temps irlandais peut changer d'une minute à l'autre, en bas, à gauche et à droite, et sa douceur donne naissance à une surprenante variété de flore.*

L'économie et l'industrie locale

Les années qui ont suivi 1993 ont été des années d'or pour l'économie de la République. Le chômage a baissé, l'inflation n'a jamais été aussi faible et les taux de croissance sont identiques à ceux de quelques-uns des pays les plus compétitifs du monde. De nouvelles industries, à la fois étrangères et nationales, surgissent, en particulier dans le domaine de l'électronique et de la communication - l'Irlande est désormais le plus gros producteur de logiciels d'Europe. Le tableau n'a pas été si brillant au Nord. Durement touché par "les troubles", le Nord dépend fortement des investissements du gouvernement britannique dans ce qui a été, traditionnellement, une économie plus industrielle par essence basée sur la construction de bateaux et l'industrie du lin. Toutefois, depuis 1994 et le premier cessez-le-feu, le nombre de touristes visitant le Nord a augmenté et un nouveau sentiment de confiance dans le processus de paix attire un nombre croissant d'investisseurs étrangers.

Il y a encore peu d'années, l'Irlande était un pays principalement agricole et l'industrie laitière et bovine était, et est toujours, capitale. Rallier la Communauté européenne, en 1972, a apporté de plus gros avantages aux fermiers et favorisé un boom agricole. Durant les années 80 et le début des années 90, la baisse des prix, la récession et l'attrait de la vie citadine ont séduit néanmoins un nombre grandissant d'habitants des campagnes - 39 pour cent de la population de la République, qui en compte 3.6 millions, vit à présent sur la côte urbanisée de l'est. Dans le même temps, un changement de la direction économique de la part du gouvernement a attiré des investissements étrangers en Irlande accompagnés d'avantages fiscaux, de projets de subvention et de primes pour l'emploi. Ces multinationales participent encore, dans une large mesure, au revenu national brut.

Le tourisme est un autre des grands secteurs d'emploi du pays avec 107.000 travailleurs faisant entrer chaque année 1445 milliards de livres sterling, un chiffre qui s'accroît au taux de 12 pour cent par an. Une nouvelle vague d'artisans, artistes, tisserands, potiers, fabricants de bijoux s'est installée dans les zones les plus reculées du pays telles que le Kerry, le Cork occidental, le Connemara et le Donegal, et produit de beaux exemplaires de l'artisanat irlandais pour les vendre aux touristes. La pêche est une autre grande

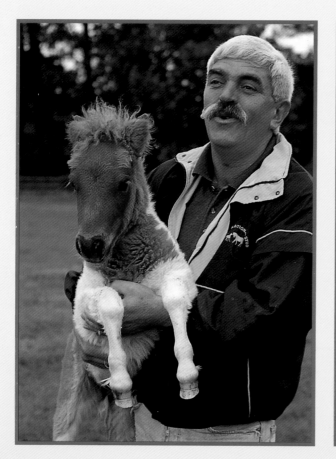

industrie - et rares sont les visiteurs qui quittent l'Irlande sans avoir goûté le saumon fumé, les langoustines, les huîtres ou les moules.

La musique traditionnelle est une exportation en pleine expansion - dès les années 1970, la musique traditionnelle a commencé à connaître une renaissance avec la fusion du rock et de la musique folklorique comme dans le cas des groupes Planxty et Moving Hearts. A présent, des musiciens comme Van Morison et Sinead O'Connor réinventent les vieux airs et en ajoutent de nouveaux, alors que les musiciens traditionnels rafraîchissent leur musique avec des influences et des instruments venant de très loin, par exemple l'Afrique et l'Australie. Dans d'autres domaines de la musique irlandaise, d'autres talents, comme U2, Enya, Clannad, les Cranberries et Boyzone, sont le courant dominant de l'actualité musicale.

D'autres industries plus nouvelles sont d'ordre culturel - en 1993, le Comité du Film Irlandais fut reconstitué, et un plan d'investissement spécial fut mis en place. Les résultats furent immédiats - une industrie du film foisonnante est maintenant créée avec, tout à la fois, des cinéastes irlandais bien connus tels que Neil Jordan, Jim Sheridan et Noel Pearson et de talentueux nouveaux venus qui produisent des films remportant des prix et prouvent que la vieille tradition du récit est bien vivante et s'exprime au travers d'un nouveau média.

Des industries traditionnelles comme l'élevage des chevaux et la pêche, ci-contre, en bas, existent encore à côté des produits de l'industrie artisanale, cette page, tels que la poterie, la fabrication de bijoux et le toujours très populaire pull d'Aran.

DUBLIN

La ville de Dublin est située dans un vaste port naturel qui s'étend de Howth, au nord, à Dalkey, au sud. Elle est partagée en deux par la rivière Liffey qui coule à travers la ville et se déverse dans la baie de Dublin. Un port aussi abrité aurait attiré les premiers colons 5000 ans auparavant et des traces de leur culture ont été trouvées disséminées autour de Dublin et de sa côte. Mais ce ne fut que lorsque les Vikings arrivèrent de la côte est, au milieu du neuvième siècle, que Dublin devint une ville importante. Les suivants furent les aventuriers anglo-normands, envoyés par Henri II d'Angleterre en 1169 en réponse à une demande de prendre les armes de la part de Dermot MacMurrough, le roi déposé de Leinster. Ce fut le début d'un long processus de colonisation qui aurait imposé les bases du développement de l'Irlande pendant les sept cents ans à venir. Les Anglo-Normands remplacèrent la ville viking de Dublin par une ville médiévale fortifiée et les structures en bois des cathédrales de Christ Church et de Saint-Patrick furent reconstruites en pierre. Pour empêcher les Anglo-Normands de devenir trop indépendants par rapport à la couronne d'Angleterre, Henri II établit une cour à Dublin et la ville devint le centre de son pouvoir en Irlande.

Dès le dix-huitième siècle, la ville était en plein essor. Les propriétés des Anglo-Normands et des plus récents colons anglais, descendants des aventuriers qui avaient été récompensés par la couronne d'Angleterre avec la confiscation des terres des chefs Gaëls rebelles ou des Anglo-Normands infidèles, rapportaient de jolis bénéfices. Une période de stabilité relative et, en conséquence, de prospérité s'établit. L'héritage de cet âge d'or anglais est clairement visible tout autour de Dublin. Quelques-uns des plus grands architectes de l'époque remodelèrent la ville, imposant un ordre formel sur le désordre existant avec des rues larges et sûres, de gracieux hôtels particuliers et des places généreuses. Des tailleurs de pierre, des stucateurs et des artisans qualifiés vinrent d'Europe pour décorer ces hôtels particuliers très ornés. Après 1800 et l'Acte d'Union, qui avait dissous le Parlement irlandais, Dublin connut des temps difficiles. De nombreux protestants anglo-irlandais de la classe dirigeante partirent pour Londres, devenant des propriétaires absentéistes. La splendeur classique qu'ils avaient laissée derrière eux se délabra pour se transformer en bâtiments sordides.

L'élan civique victorien contribua à construire des édifices publics dignes d'attention, mais il incomba à l'action philanthropique de familles telles que la famille Guinness de restaurer et d'entretenir les premiers chefs-d'œuvre de l'architecture. La guerre d'indépendance et la guerre civile en 1922 firent payer leur tribut aux rues de Dublin et bon nombre d'édifices portèrent les stigmates des combats. Depuis lors, la négligence et le manque de prévoyance ont été responsables de la perte de nombreux beaux édifices, la vue magnifique que l'on avait sur Winetavern Street, par exemple, du haut de la cathédrale du douzième siècle de Christ Church, a été masquée par les masses imposantes des immeubles du Centre administratif, surnommés "les Bunkers". A la fin des années 1980, une nouvelle prise de conscience du potentiel architectural de la ville s'est manifestée en même temps qu'une période de croissance économique et un effort pour restaurer, plutôt que démolir, l'héritage de la Dublin géorgienne, a depuis été fait. Le dédale d'entrepôts et de ruelles étroites du Temple Bar, par exemple, est devenu un joyau de restauration et d'architecture moderne expérimentale. La baie de Dublin qui a attiré des vagues continues d'envahisseurs est maintenant difficile à discerner sous le déploiement commercial et résidentiel de Dublin et de sa banlieue, qui supporte une population de plus d'un million d'habitants. La ville de Dublin change vite et la rapidité de ce changement est, en partie, alimentée par sa population jeune - plus de 50 pour cent a moins de vingt-cinq ans et cela en fait une ville vivante. Aujourd'hui, Dublin est une ville pleine de charme avec une vie culturelle féconde, assez petite pour être sympathique, mais déjà cosmopolite dans ses perspectives.

LE SUD-EST DE DUBLIN

Trinity College

Trinity College est la plus ancienne université du pays et fut fondée en 1952 par la Reine Elisabeth Ire d'Angleterre sur les terres confisquées de l'ancien prieuré de All Hallows. Jusque-là, la classe dirigeante des Anglo-Irlandais protestants avait envoyé ses enfants sur le continent pour les former où ils couraient le risque d'être "souillés par le papisme". Trinity allait devenir le siège de l'éducation protestante et, pendant 250 ans, elle fut la seule université d'Irlande. Elle continua à être fréquentée principalement par la population protestante jusqu'à la deuxième moitié de ce siècle; jusqu'en 1966 les catholiques qui étudiaient au Trinity devaient obtenir une dispense spéciale auprès de leur archevêque sans quoi ils risquaient l'excommunication. En 1990, toutefois, environ 75 pour cent des 8.000 étudiants, fréquentant Trinity, étaient catholiques.

Le collège est situé au cœur de Dublin. Les 90 mètres de sa façade incurvée s'achèvent sur une ample vue dominant Dame Street, l'une des principales artères de la ville. Alors qu'aucun des bâtiments d'origine du seizième siècle ne survit actuellement, le campus fournit un guide fascinant du travail de maints architectes parmi les plus renommés des siècles passés. La façade sobre, qui rétablit la balance avec l'exubérance de l'édifice de la Banque d'Irlande d'en face, fut dessinée par Theodore Jacobsen au milieu du dix-huitième siècle. Derrière la façade, se trouvent d'innombrables cours pavées communicantes entre elles et encerclées de bâtiments, pour la plupart, du dix-huitième siècle avec quelques adjonctions de la période victorienne et du vingtième siècle.

La première et la plus vaste de ces cours est le **Front Square** ou **Parliament Square** (les coûts de construction ont été supportés par le Parlement). De part et d'autre du Front Square, les deux ailes de la cité universitaire montrent à l'évidence que Trinity joue un rôle vital dans la vie culturelle et sociale de Dublin. Au-delà de la cité universitaire et légèrement en retrait par rapport au Front Square, se dressent deux portiques se faisant pendant - à droite, l'**Exam Hall** et à gauche, la **Chapel** portant un plâtre splendide de Michael Stapleton - tous deux dessinés dans le style classique par l'architecte écossais, Sir William Chambers. Ils ont été construit dans les années 1780 et sont les derniers apports géorgiens au collège. Auprès de la Chapel se tient le **Dining Hall**, conçu dans les années 1740 par l'architecte allemand, Richard Cassells, qui est l'auteur de la majeure partie de la Dublin géorgienne. Détruit par le feu en 1984, il a depuis été remis parfaitement à neuf et l'édifice attenant, l'**Atrium**, a été évidé pour former un espace à trois corps réservé aux spectacles et dominé par des galeries en bois.

En haut, Trinity College est la plus vieille université d'Irlande, fondée en 1592 par la Reine Élisabeth 1re, en bas, le parc est rempli de sculptures, tout à la fois modernes comme la "Sphère avec Sphère" d'Arnaldo Pomodoro, et classiques.

A gauche, *le Campanile est censé se tenir à l'emplacement qu'occupait autrefois le maître-autel du prieuré de All Hallows, à droite, l'ancien directeur George Salmon par le sculpteur John Hughes.*

Au centre du Front Square, le **Campanile** victorien baroque, don de l'archevêque d'Armagh en 1853, est censé se tenir à l'emplacement qu'occupait autrefois le maître-autel du prieuré de All Hallows. Pendant le "ragweek" (semaine où les étudiants organisent des attractions au profit d'œuvres charitables), le Campanile est souvent garni de bicyclettes et autres ornements inattendus.

Le **Rubrics**, la cité universitaire en briques rouges placée juste derrière le Campanile, est le plus ancien ensemble de bâtiments du collège, remontant à 1701 et au règne de la Reine Anne, mais même ce dernier a été rénové durant la période victorienne. Richard Cassells prit également part à la **Printing House**, un temple dorique en miniature et un joyau d'architecture, situé dans le **New Square** derrière le Rubrics. Achevé en 1734, ce fut sa toute première œuvre à Dublin. Un autre édifice digne d'intérêt dans le même square est le **Museum Building**. Créé dans le style gothique vénitien, en 1852, par Sir Thomas Deane et Benjamin Woodward, il allait influencer la facture des architectes pendant le restant du siècle. Dehors, se dressent de magnifiques sculptures en pierre représentant des animaux, des fruits et des fleurs, tandis que le grand intérieur en marbre abrite le squelette du géant irlandais Elk. Deane et Woodward agrandirent aussi la **Trinity Library**, bibliothèque dessinée par Thomas Burgh en 1792.

Des bâtiments modernes tels que les **Arts Block**, une bibliothèque en béton sur plusieurs niveaux et un complexe contenant une salle de lecture, et la **Berkeley Library**, avec sa lourde façade en béton et en granit, tous deux projetés par Ahrends, Burton et Koralek, furent ajoutés dans les années 70 et 80 et vinrent ceinturer le reste de la place formée par la bibliothèque de Burgh. Donnant sur le **Sport Field**, le nouveau Centre théâtral de Samuel Beckett, une haute structure de bois sur pilotis, réalisée par les architectes dublinois De Blacam et Meagher au début des années 1990, abrite deux théâtres pour le travail expérimental des étudiants.

Plusieurs œuvres sculpturales saillantes, modernes et classiques, peuplent le campus.

Les statues extérieures, face au Trinity, commémorèrent deux *alumni* bien connus: le philosophe et orateur Edmund Burke (1729-97) et Oliver Goldsmith (1728-74), auteur de *Elle s'abaisse pour triompher* et *Le Vicaire de Wakefield*. Beaucoup d'autres personnalités anglo-irlandaises réputées ont étudié au Trinity comme l'écrivain satirique Jonathan Swift (1667-1745), le patriote Wolfe Tone (1763-98), Oscar Wilde (1854-1900), JM Synge (1871-1909) dont *Le Baladin du Monde Occidental* provoqua des émeutes lorsqu'il fut représenté à l'Abbey Theatre, et le prix Nobel Samuel Beckett (1906-91).

En haut, *la Long Room de la bibliothèque du Trinity College* renferme le manuscrit enluminé du huitième siècle connu comme *The Book of Kells, en bas, un buste de l'écrivain satirique Dean Jonathan Swift, qui était étudiant au Trinity College.*

La bibliothèque du Trinity College

Dessinée en 1792 par Thomas Burgh, la **bibliothèque** du **Trinity College** renferme la fameuse **Long Room** (longue salle) qui, avec 64 mètres de long et 12.2 mètres de large, est la salle de lecture la plus spacieuse d'Europe. En 1859, Sir Thomas Deane et Benjamin Woodward ajoutèrent un plafond avec une voûte en berceau, qui procura à la fois un espace supplémentaire indispensable et une grandiose élégance à la bibliothèque.

Le plus illustre des trésors de la bibliothèque est le livre *The Book of Kells*, un manuscrit des quatre évangiles du huitième siècle écrit soit dans le *scriptorium* du monastère de Kells, dans le comté de Meath, soit à Iona au large de la côte écossaise. De nombreux monastères irlandais avaient leurs propres *scriptoria* où des scribes travaillaient sur les légendes préchrétiennes, les épopées et les histoires aussi bien que sur les écritures. Dans les marges, ils griffonnaient souvent des poèmes de louanges ou de complaintes - certains d'entre eux étaient pleins d'esprit. C'est grâce à ces scribes - et aux missionnaires qui vinrent du continent pendant le Haut Moyen Age - que l'Irlande se donna le nom de "Terre des saints et des lettrés". Ces manuscrits enluminés étaient fort prisés et donc toujours sous la menace d'un vol. En effet, quelques pages au début et à la fin du

En haut, *images de la rotonde de la National Library sur Kildare Street vue de l'extérieur et,* en bas, *de l'intérieur.*

Book of Kells ont été perdues, sans doute lorsque le livre a été volé de Kells en 1006 et que sa couverture d'or a été arrachée.

National Library

La **National Library**, sur Kildare Street, était autrefois la bibliothèque de la Royal Dublin Society (RDS), une institution créée pour encourager les progrès dans le domaine de la science, de l'agriculture et des arts. Avec le **National Museum**, qui lui fait face de l'autre côté de la pelouse de **Leinster House**, les deux sièges de l'éducation ont été prévus pour fournir un Centre culturel aux Dublinois. L'édifice de la bibliothèque a été dessiné par Sir Thomas Deane en 1890. Des centaines de livres, magazines, journaux, cartes et manuscrits ayant trait à l'Irlande, incluant ceux recueillis par la RDS, sont hébergés ici. La bibliothèque possède même une importante collection de premières éditions et conserve les manuscrits des auteurs irlandais les plus en vue, remplis de révisions, de notes en marge et de griffonnages. C'est un plaisir de travailler dans la **Reading Room,** salle de lecture circulaire - comme l'ont découvert bien des meilleurs auteurs modernes irlandais parmi lesquels, James Joyce.

En haut à gauche, *la National Gallery of Ireland*, en haut à droite, *le travail victorien en fonte cache le fait que la Mansion House date de 1710*, en bas, a gauche, *Leinster House, siège du gouvernement*.

National Gallery

Le dramaturge George Bernard Shaw (1856-1950) déclara que sa vie entière avait été influencée par la **National Gallery** "car j'ai passé bien des journées de mon enfance à m'y promener et j'ai ainsi appris à aimer l'art". En reconnaissance, il légua un tiers de ses droits d'auteur à la galerie et lui donna ainsi le moyen de faire des acquisitions capitales. La galerie est composée de trois sections: l'aile Dargan abrite l'art européen depuis la Renaissance avec un Caravage découvert récemment, quelques célèbres Rembrandt, Titien et Tintoret; l'aile moderne est consacrée à l'art européen du vingtième siècle et, en particulier, aux Impressionnistes; les salles Milltown contiennent l'art irlandais et notamment, les œuvres anglo-irlandaises à partir du dix-septième siècle, avec une salle entière consacrée à Jack B. Yeats (1871-1957), le frère du poète William Butler Yeats.

Mansion House

Résidence des maires de Dublin depuis 1715. Bien que l'extérieur ait été remanié avec des détails victoriens, la

En haut, *les musiciens ambulants dans Grafton Street, l'une des rues commerçantes les plus animées,* en bas, *des clients à la terrasse du célèbre pub victorien.*

maison est l'une des plus anciennes de la région et date de 1710. L'intérieur témoigne encore de ses origines contemporaines de la reine Anne.

Leinster House

Le siège du Parlement irlandais, ou *Dáil Éireann*, est **Leinster House**, bâti en 1745 pour le comte de Kildare à l'époque où les gens à la mode vivaient sur la rive nord de la Liffey. "Où j'irai,", aurait dit le comte, "ils iront". Et il avait raison, les champs verts qui l'entouraient se transformèrent bien vite en **Merrion Square**. A partir de 1814, la Royal Dublin Society fut propriétaire de Leinster House jusqu'à ce que le gouvernement irlandais ne l'achète en 1925.

Grafton Street

La rue de Dublin la plus à la mode pour faire des emplettes grouille d'acheteurs, fabricants de bijoux, musiciens ambulants et vendeurs de fleurs. Les nombreux pubs victoriens, comme le McDaids, dans les petites rues, permettent de s'asseoir et d'observer les flâneurs.

Saint Stephen's Green

Avant que le philanthrope Lord Ardilaun, Sir Arthur Guinness, ne mit de l'ordre dans **Saint Stephen's Green** en 1880 et ne l'offrit au public, le parc avait été loué aux riverains des maisons encadrant la place.

Plusieurs maisons d'origine furent malheureusement la proie de la fièvre expansionniste des années 1960, mais les rescapées sont de rares exemplaires des beaux hôtels particuliers de la Dublin géorgienne. Au sud, aux n° 85-86, se trouve **Newman House**, merveilleusement rendue à sa splendeur du dix-huitième siècle. Le n° 85 fut dessiné par Richard Cassels en 1738 et contient un plâtre incomparable exécuté par les célèbres stucateurs italiens, les frères Francini. Au dix-neuvième siècle, Newman House devint le siège de l'University College Dublin (UCD), l'alternative catholique au Trinity College, où le poète anglais Gerald Manley Hopkins professa jusqu'à ce qu'il ne décède de typhoïde en 1889. Peu après le décès d'Hopkins, James Joyce y fut étudiant et il immortalisa son expérience dans *Dedalus, portrait de l'artiste par lui-même*. Dans les années 1960, l'UCD fut transférée dans les banlieues sur ordre de l'archevêque catholique de Dublin. A côté du n° 85, se trouve l'**University Church**, son extérieur simple cachant, à l'intérieur, une fantaisie byzantine. Au nord de la place, les clubs de gentlemen qui vont au **Shelbourne Hotel** sont une réminiscence du temps où St Stephen Green était une adresse sélecte.

Comme Lord Ardilaun le souhaitait, St Stephen Green est devenu un parc populaire et les Dublinois aiment y prendre des bains de soleil, y pique-niquer ou nourrir les nombreux canards et cygnes. Le parc est constellé de kiosques à musique, de bancs, de parterres de fleurs et de statues, Joyce se dresse en face de son ancien collège, et de lacs ornementaux. C'est, en outre, un jardin pour les aveugles avec des plantes parfumées étiquetées en Braille.

A partir du haut et dans le sens des aiguilles d'une montre, les Dublinois aiment à pique-niquer dans Saint Stephen Green; un buste de James Joyce face à son ancien collège; un peu partout dans le parc des bancs, des kiosques à musique, des fontaines et des parterres de fleurs; l'Arc des Fusiliers à l'entrée du parc.

Merrion Square

Dublin est renommée pour ses rues géorgiennes et l'une des mieux conservée est **Merrion Square** (bâtie dans les années 1760 par Lord Fitzwilliam). Les maisons géorgiennes peuvent avoir l'air identiques, mais chacune d'elles diverge dans les détails: les portes et les lourds heurtoirs en cuivre, les impostes délicates, les décrottoirs et les balcons en fonte. Nombre de maisons portent des plaques commémoratives: le **N° 1** était la maison d'enfance d'Oscar Wilde, tandis que le politicien Daniel O'Connell, qui fit campagne et obtint l'émancipation des catholiques en 1829, vivait au **N° 50**. Actuellement, de nombreuses maisons sont devenues des bureaux mais la place s'anime les fins de semaine lorsque les peintres amateurs accrochent leurs œuvres aux grilles du parc.

Fitzwilliam Street

Fitzwilliam Street, qui descend de **Leeson Street** jusqu'à la **Holles Street Hospital**, englobe **Fitzwilliam Place** et le côté est de **Merrion Square**. Elle était jadis la rue géorgienne la plus longue d'Europe. Au cours des années 60, un pâté de maisons fut démoli pour faire place à des bureaux modernes qui masquent aujourd'hui la vue.

En haut et au centre, les portes élaborées et les détails des maisons géorgiennes de Merrion Square, en bas, Fitzwilliam Street, jadis la plus longue rue géorgienne d'Europe.

LE SUD-OUEST DE DUBLIN

Dublin Castle

Dublin Castle surprend beaucoup car il ne ressemble plus à un château (seule la **Record Tower** subsiste de l'époque où il était une structure fortifiée et même ses crénelures sont des adjonctions du dix-neuvième siècle). C'est un embrouillamini de styles architecturaux, en partie modernes, en partie moyenâgeux mais le plus gros de ses bâtiments remonte à la Dublin élégante du dix-huitième siècle et est regroupé autour de deux cours, la **Upper** et la **Lower Yard**. Durant plus de 700 ans, il n'y eut pas de meilleur symbole du pouvoir britannique en Irlande que "le château" et, en fait, toute rébellion contre les Anglais visait à le renverser. Personne n'y parvint.

Erigé en 1204, sur une élévation au sud de la Liffey, le château était originairement bordé, sur trois de ses flancs, par la rivière Poddle. Juste derrière les murs du château, la Poddle se déverse dans un plan d'eau, le Black Pool ou *"Dubh Linn"* dont la ville tire son nom. Des vestiges du fort viking, du neuvième siècle *environ*, trouvés durant les fouilles de 1990, dénotent que le site a toujours eu une importance stratégique et l'on pense qu'un "rath" existait primitivement sur cet emplacement. A l'origine, une solide tour défendait chaque coin du rideau de murailles qui encerclait une cour correspondant plus ou moins à la cour supérieure actuelle, tandis que la herse était placée au centre de la **North Gate** (porte Nord). Dès 1242, une chapelle fut édifiée et embellie de vitraux. Un hall spacieux, où se tient à présent **St Patrick's Hall**, fut construit et reconstruit en 1320. Ce château original doit avoir inspiré du respect, non seulement parce que les rebelles étaient régulièrement décapités et que l'on avait pour habitude de décorer les murs du château de leurs têtes mais aussi parce qu'il y jouissait d'un luxe unique en son genre, l'eau canalisée.

Pendant les tout premiers siècles de l'autorité britannique, le château était la cible permanente des attaques durant les rébellions irlandaises. En 1534, Silken Thomas, fils du comte de Kildare, assiégea le château avec des canons. Malheureusement pour lui, les autorités officielles de la ville siégeaient à l'intérieur des murs imprenables avec de grandes réserves de nourriture et de poudre à canon. Non seulement Silken Thomas fut capturé mais cinq de ses oncles, ainsi que lui-même, furent pendus.

En 1684, un incendie dévasta les quartiers résidentiels du château. Ils furent relevés en accordant une plus grande attention aux fonctions administratives du château: des salles de réception et des bureaux y furent logés et les **Upper** et **Lower Yards** prirent leur forme actuelle.

Le château de Dublin est un mélange de périodes architecturales, en haut, la Record Tower, datant de 1207, avec l'un des bâtiments latéraux du dix-huitième siècle et, dans l'autre, la chapelle en style néogothique de Francis Johnston, en bas, la Upper Yard, montrant la Bedford Tower qui encercle l'ancienne tour occidentale du corps de garde. C'est de là que les joyaux de la Couronne irlandaise furent dérobés en 1907. Ils n'ont jamais été retrouvés.

Mais le château servit encore de centre militaire et de prison à la ville. Pendant trois ans, le jeune Hugh Roe O'Donnell, âgé de 15 ans, fut retenu en otage, dans la **Record Tower**, pour s'assurer de la bonne conduite de son clan d'Ulster (ceci était une coutume britannique fréquente de l'époque). La veille de Noël 1592, lui et quelques-uns de ses compagnons s'échappèrent, vêtus seulement de toile de lin légère et de sandales. C'était une nuit glaciale avec des tempêtes de neige et de furieuses bourrasques. Leur périple les conduisit, à pied, par-delà les monts de Wicklow, à Glenmalure. Hugh Roe survécut pour être loué par les bardes ou *"fíle"* irlandais mais ses compagnons moururent de froid.

La reconstruction se poursuivit tout au long du dix-huitième siècle puisque le rôle du château avait encore changé. A titre de résidence du vice-roi, le représentant du pouvoir anglais en Irlande, il devint l'épicentre de la société anglo-irlandaise, recevant bals et réceptions royales ainsi que les dignitaires en visite. Sir William Robinson qui avait dessiné le Royal Hospital Kilmainham accomplit le plus gros du travail, alors que Sir Edward Lovett Pearce redécora **St Patrick's Hall**. L'essentiel de la **Upper Yard**, cour supérieure géorgienne, avec le **Castle Hall**, simple et élégant en brique rouge, datent de cette période. Pendant la centaine d'années qui suivit le dix-huitième siècle, les adjonctions, reconstructions et modifications furent constantes.

En 1798, les Britanniques étouffèrent une autre révolte. Ce fut un épisode particulièrement sanglant où l'on exposa les cadavres des rebelles dans la cour du château en guise de trophées. L'on vit un cadavre remuer et, après s'être ranimé, on lui accorda la grâce mais, comme l'a commenté un observateur, le rebelle "n'avait cependant pas changé d'opinion". Dès 1814, la **Chapelle Royale**, baptisée à présent **l'église de la Most Holy Trinity**, adjacente à la **Record Tower**, avait été dessinée dans le style néogothique par Francis Johnston. A l'intérieur, figurent les armoiries de chaque vice-roi depuis le douzième siècle ainsi qu'une voûte en éventail ouvragée et un plâtre du stucateur Michael Stapleton. Au dehors, Edward Smyth, connu pour ses oeuvres de la Custom House et de Four Courts, sculpta plus d'une centaine de têtes en pierre de personnages historiques et mythologiques. La chapelle fut immédiatement proclamée "le plus beau spécimen d'architecture de style gothique d'Europe".

Au cours du soulèvement de 1916, le château fut une fois encore attaqué mais de nouveau sans succès. Le château fut enfin rendu à l'Etat irlandais en 1922 et il abrite désormais les bureaux du gouvernement ainsi que les manuscrits et les trésors de la **Chester Beatty Library and Gallery of Oriental Art** et, dans la Record Tower, le **Garda Museum**. Une des fonctions du château n'a néanmoins pas changé: il est toujours utilisé pour recevoir les dignitaires en visite.

En haut, l'intérieur de l'église de la Most Holy Trinity avec le plâtre exubérant de Michael Stapleton, en bas à droite, les caissons peints du plafond du dix-huitième siècle de Saint Patrick's Hall, en bas à gauche, un miroir décoré dans la Picture Gallery.

City Hall

Surplombant la **Parliament Street** et, de l'autre côté de la **Liffey**, la **Capel Street**, se dresse **City Hall**, l'actuel hôtel de ville et autrefois Bourse de commerce. Edifice construit en 1769 par la Guilde des Marchands Dublinois, il fut rendu aux forces gouvernementales pendant l'insurrection de 1798 pour être utilisé pour les interrogatoires et servir de chambre de torture. De nos jours, c'est le siège des bureaux de la Dublin Corporation.

College Green et Dame Street

Dame Street conduit de **College Green**, à peine sorti des portes principales du **Trinity College**, au **City Hall** et, en poursuivant, à la **Lord Edward Street** et à la **cathédrale de Christ Church**. A l'extérieur de l'hôtel de ville, on rencontre le site de Dame Gate, l'entrée par les murs de la ville dans la cité médiévale. Au début du dix-huitième siècle, Dame Street était la rue la plus importante hors les murs de la ville et reliait les centres vitaux du pouvoir, le **Dublin Castle**, situé derrière l'hôtel de ville et la **House of Parliament** (maison du Parlement) devenue le siège central de la Banque d'Irlande face au **Trinity College**.

La rue compte aussi plusieurs immeubles dans le style connu sous l'appellation de "banker's Georgian" de même que la **Banque Centrale**, très moderne.

En haut, *le City Hall domine la Parliament Street jusqu'à la rivière Liffey, en bas, vue sur Dame Street à partir du Trinity College.*

La cathédrale de Christ Church

La cathédrale de Christ Church se dresse au sein des remparts médiévaux d'origine de la ville. C'est la plus ancienne cathédrale de Dublin, elle fut fondée en 1037 par Sitric Silkenbeard, roi de la Dublin viking. Converti au christianisme, il entreprit deux pèlerinages à Rome et mourut, comme son père, en moine sur l'île de Iona au large de l'Ecosse. La structure que Silkenbeard avait élevée était en bois, mais pendant la période allant de 1173 à 1240, les Anglo-Normands reconstruisirent l'église de Silkenbeard en pierre. Cette longue période de construction de soixante-dix ans sous-entendait que la cathédrale couvrait deux périodes architecturales: des parties, telles que la nef, furent composées dans le style gothique mais les autres, entre autres le **chœur** et les **transepts**, furent bâties dans le style roman. Une petite **tête** allongée, qui couronne le porche roman dans le **transept sud** pourrait commémorer le roi Henri II d'Angleterre ou bien Dermot Mac-Murrough, le roi de Leinster auteur de l'invitation de Strongbow, le comte de Pembroke, et de ses forces anglo-normandes en Irlande et donc de l'éclosion du long processus de colonisation.

Dès le dix-neuvième siècle, la cathédrale était en ruines. Le distillateur de whisky, Henry Roe, finança une restauration radicale en 1871 - une œuvre de charité mitigée puisque la plupart des bâtiments d'origine furent perdus et que le chœur du quatorzième siècle fut démoli et remplacé en faux style roman.

A part la **crypte** médiévale, le plus vieil édifice de Dublin, où quelques chapiteaux en pierre richement sculptés sont conservés, les **transepts** et l'élévation nord de la **nef**, il reste fort peu de la structure du treizième siècle. La **crypte** renferme des reliques macabres. Le cœur de **St Lawrence O'Toole**, l'archevêque de Dublin au temps de l'invasion de Strongbow, gît dans une boîte en métal en forme de cœur dans la **chapelle Saint-Laud**. Strongbow en personne est censé y être enterré. Mais il est vraisemblable que sa tombe fut détruite au cours d'un effondrement du toit et remplacée par l'effigie d'un autre chevalier. La légende veut que la plus petite des deux effigies de la crypte contienne le corps de son fils, tranché en deux pour couardise au combat, mais il est plus probable qu'elle renferme les entrailles de Strongbow. Les restes hideux d'un rat et d'un chat momifiés, attrapés dans une poursuite derrière le jeu d'orgue, sont exhibés dans une vitrine. Il y a tout lieu de croire qu'un ancien tunnel, partant de la crypte et passant sous la Liffey, conduisait à ce qui est à présent les Four

La cathédrale de Christ Church, fondée en 1037 par les Vikings et reconstruite par les Anglo-Normands.

Le portail roman de la cathédrale de Christ Church et l'intérieur de la cathédrale qui fut restauré en 1871. En bas, l'église Saint-Audoen avec son clocher.

Courts. D'après la légende, un soldat accompagnant des funérailles nationales à Christ Church au Moyen Age, alla se promener au fond du tunnel pour tromper son ennui. Le sacristain l'y enferma sans le vouloir et son corps rongé fut trouvé plusieurs mois plus tard, l'épée en main. Autour de lui, gisaient les cadavres des plus de deux cents rats qu'il avait massacrés!

L'église Saint-Audoen

Erigée en 1190 sur les vestiges d'un premier site chrétien consacré à saint Colomban et rebaptisée, en souvenir du Normand saint Ouen de Rouen, **Saint-Audoen**, sur High Street, est la plus ancienne église paroissiale subsistant à Dublin. Le seul souvenir de ses premières racines chrétiennes est une pierre tombale à l'intérieur du porche, connue sous le nom de "**lucky stone**", dont on dit qu'elle porte chance à tous ceux qui la touchent. La **porte ouest** de l'édifice d'origine existe encore, alors que le **clocher** contient un carillon datant de 1423 que l'on dit être le plus ancien d'Irlande. Ces cloches sonnaient pendant les orages pour rappeler aux Dublinois de prier pour les marins en mer. Le cimetière de l'église est borné par une partie restaurée des anciens **remparts de la ville**, qui conduit à l'**arc Saint-Audoen**, la seule entrée de la vieille ville encore sur pied.

En haut, *le parc Saint Patrick et la cathédrale, en bas, l'intérieur, complètement remis à neuf en 1864.*

La cathédrale Saint-Patrick

La deuxième cathédrale protestante de Dublin s'élance sur le plus vieux site chrétien de Dublin, et l'on pense qu'elle a un lien avec le saint patron de l'Irlande, saint Patrick. Elle a subi la même histoire que sa voisine, la cathédrale de Christ Church, reconstruite en pierre en 1190 dans le "premier gothique anglais", c'est-à-dire qu'elle aussi tomba en ruines au fil des siècles. Elle fut pareillement minutieusement restaurée en 1864 avec les fonds d'un autre marchant de boissons, Sir Benjamin Lee Guinness, dont la **statue** se tient à droite de l'entrée. A la différence de Christ Church la cathédrale Saint-Patrick réside hors les murs de la cité médiévale dans une zone dénommée "**the Liberties**" et elle devint ainsi la cathédrale du commun des mortels plutôt qu'un lieu de célébration des cérémonies nationales.

Sans nul doute le personnage le plus distingué associé à cet édifice est Jonathan Swift, auteur des *Voyages de Gulliver* et de diverses autres satires, et doyen de la cathédrale de 1713 à 1745. Foncièrement généreux, Swift fit don chaque année de la moitié de son revenu et, à sa mort, la communauté locale implora d'avoir des mèches de ses cheveux en souvenir de lui, tant est qu'il fut enterré chauve. Il est inhumé dans la cathédrale aux côtés de sa bien-aimée Esther Johnson.

Le pub Brazen Head

Fondé en 1198, le **Brazen Head** sur la **Lower Bridge Street** est le plus ancien pub de Dublin. Son histoire est riche d'épisodes comme par exemple avoir été le lieu où les rebelles du soulèvement des Irlandais Unis de 1798 avaient coutume de se réunir pour organiser leur campagne. De nos jours, il offre des soirées de musique traditionnelle chaque soir de la semaine.

Temple Bar

Les ruelles pavées de Temple Bar sont si charmantes que l'on a du mal à croire qu'il y a encore bien peu de temps, elles étaient menacées de démolition. Autrefois rempli de studios d'artistes en piteux état, de friperies, d'entrepôts de peintres et de pubs moisis, Temple Bar est aujourd'hui l'orgueil de la Corporation de Dublin avec ses appartements de luxe, ses galeries d'art, ses restaurants, ses discothèques et l'hôtel Clarence de style "Art déco" appartenant et fréquenté par les U2. Mais il y a surtout ses pubs.... Le pub est au cœur de la vie sociale irlandaise et attire une clientèle fidèle d'habitués car il est connu partout pour servir une "bonne pinte", une "pinte" sous-entend toujours une Guinness. Servir une *bonne* pinte est tout un art.

A gauche, Brazen Head est le plus vieux pub de Dublin. Pendant l'été, sa cour est remplie de gens du quartier et de touristes, alors qu'à l'intérieur, ci-dessous, des musiciens traditionnels donnent tous les soirs un spectacle.

Ci-dessus, *la preuve d'une nuit mouvementée avec les barils de bière vides à l'extérieur de l'Oliver St John Gogarty Pub dans le Temple Bar, au centre, des graffiti de buveurs, en bas, à gauche et à droite, l'extérieur et l'intérieur d'un joli pub victorien dans la Fleet Street et le quartier de Temple Bar.*

La brasserie Guinness

La Guinness est la boisson nationale irlandaise et la brasserie fut fondée en 1759 par Arthur Guinness (*en bas à droite*): elle remplit à présent plus de sept millions de verres par jour et est conservée religieusement dans l'histoire architecturale de Dublin; la philanthropique famille Guinness qui restaura la **cathédrale Saint-Patrick**, a fait donation de **St Stephen's Green** au public, évacuer les taudis et les a remplacés par les immeubles de **Iveagh Trust**, les piscines et les auberges sur Patrick Street.

Un tour de Dublin ne serait pas complet sans une visite au lieu de naissance de la Guinness.
Dans l'incomparable brasserie Guinness, conçue comme une grande chope à bière, une passionnante exposition vous apprendra tout sur cette célèbre bière. Vous pourrez ensuite vous reposer en savourant une bonne pinte au Gravity Bar, au septième étage, où l'on jouit d'une incroyable vue à 360° sur Dublin.

Royal Hospital Kilmainham

Devenu désormais le **Irish Museum of Modern Art** (Musée irlandais d'art moderne), le **Royal Hospital Kilmainham** fut bâti en 1680 pour héberger les anciens soldats et continua de le faire jusqu'en 1922. Tirant son inspiration des Invalides de Paris, il fut dessiné par le géomètre général, Sir William Robinson, sous la direction du vice-roi, le Duc d'Ormond. Le dessin est simple et sobre et consiste en un édifice à colonnade flanqué d'une flèche, érigé autour d'une cour centrale. L'intérieur du **hall** et de la **chapelle** sont uniques en leur genre: le plafond de la chapelle est ornementé d'une œuvre en relief aux motifs de fruits et de fleurs. Le hall accueille désormais des concerts classiques et le reste du musée abrite des collections temporaires d'art moderne irlandais et européen.

La prison de Kilmainham

Construite en 1788, juste à temps pour accueillir les chefs rebelles de la révolte avortée de 1798, cette sinistre prison détint aussi les chefs du soulèvement de 1916. Les Britanniques décidèrent d'exécuter quinze d'entre eux sur plusieurs jours. L'un d'eux, James Connolly, était si grièvement blessé que l'on dut l'attacher à une chaise pour qu'il reçoive les balles du peloton d'exécution. Ce fut l'une des manœuvres les plus mal calculées que les Britanniques ne firent jamais en Irlande; ils transformèrent la défaite militaire du soulèvement en un geste romantique qui alimenta la cause nationaliste.

Marsh's Library

La première bibliothèque publique d'Irlande fut modelée, en 1701, par Sir William Robinson pour abriter la bibliothèque de l'archevêque Narcissus Marsh. Quasiment inchangée depuis lors, la bibliothèque est répartie en alcôves de lecture séparées par des paravents gothiques portant les armes de l'archevêque. Les lecteurs étaient autrefois enfermés à clef dans les alcôves pour protéger les manuscrits les plus estimés. Plus de 25000 livres datant du seizième siècle à nos jours sont toujours conservés ici.

En haut, *l'ancien hôpital de Kilmainham est désormais un musée d'art moderne,* au centre, *la prison de Kilmainham où les patriotes étaient emprisonnés,* en bas, *la Marsh's Library datant de 1701.*

LE NORD DE LA LIFFEY

La Liffey

C'est grâce à la rivière Liffey et à ses nombreux affluents, que Dublin a plus d'un nom. En irlandais, c'est *Baile Átha Cliath* ou "la ville du gué aux claies", le gué datait d'avant les Vikings et ressemblait à une levée qui traversait la rivière qui, en ce temps-là, était très large et peu profonde. Puis, il y a le nom anglais de la ville, *Dubh Linn* ou "mare noire", du nom du bassin d'eau formé par la rivière Poddle lorsqu'elle rejoint la Liffey près du château de Dublin. Pour compliquer encore davantage les choses, la partie de la Liffey qui traverse la ville porte elle aussi un nom, *Ruirthech* ou "rivière turbulente". L'on peut juger de sa turbulence grâce à une annotation reportée dans les anciennes *Annales* enregistrant, qu'en l'an 770 de notre ère, une armée entière de l'Ulster se noya en tentant de la traverser à gué.

De nos jours, la Liffey est plus disciplinée et, captive entre les quais, coule paisiblement en s'épanchant dans la mer à Ringsend et en scindant sensiblement Dublin en deux: la rive sud, avec ses rues commerçantes élégantes, et la rive nord, où les splendides édifices publics de James Gandon sont cernés par les places géorgiennes délabrées.

O'Connell Bridge

Projeté par James Gandon, en 1790, pour relier le sud de Dublin au nord, le pont est à peu près aussi long que large et poursuit sa course au nord vers **O'Connell Street**.

La General Post Office

La **General Post Office** (GPO) est l'édifice le plus marquant d'**O'Connell Street**, non tant par sa valeur architecturale qu'en raison du rôle qu'il joua dans l'histoire irlandaise. Le lundi de Pâques 1916, une petite bande d'insurgés en fit son quartier général et leur chef, Pádraig Pearse, poète de son état, se tint au dehors pour lire la proclamation de la République irlandaise à quelques passants indifférents. Il s'ensuivit une semaine de bombardement par les troupes britanniques, laissant la GPO et la quasi-totalité de **Lower O'Connell Street** éventrées. Les insurgés la quittèrent pour rejoindre **Moore Street** où ils se rendirent peu après. Ce fut une défaite militaire désastreuse. Mais dès cet instant, l'indépendance irlandaise ne fut plus qu'une question de temps. Durant la guerre civile de 1922, O'Connell Street fut encore éprouvée et seule la façade de la GPO resta en place. Aujourd'hui merveilleusement restaurée et devenue un bureau de poste à part entière, elle abrite la statue de "*La Chute de Cúchulainn*", le héros légendaire d'Ulster, pour commémorer l'insurrection de 1916.

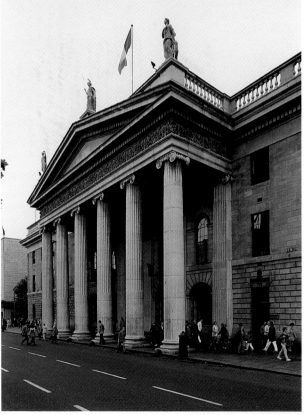

Ci-contre, en haut, O'Connell Bridge avec la célèbre coupole de la Custom House de Gandon se dessinant sur le nouveau Centre financier, en bas, la vue au sud d'O'Connell Bridge (à gauche) et la flèche, dans O'Connell Street (à droite).

Sur cette page, en haut, l'horloge de Lír, un point de repère de Dublin, en bas, la GPO.

Custom House

En 1779, l'architecte James Gandon déclina l'offre de travailler à Saint-Pétersbourg. Au lieu de cela, il se rendit à Dublin pour travailler à ce qui allait être l'un des plus beaux exemplaires de construction géorgienne de Grande-Bretagne. Gandon s'établit en Irlande pour le restant de ses jours, donnant deux autres édifices publics à l'architecture dublinoise, **Four Courts** et **King's Inns**. Commencée en 1781 avec un coût de 400.000 livres sterling sur dix ans, la Custom House ne fut pas un projet facile car le site était détrempé par la mer, exigeant un drainage constant et des fondations sophistiquées pour obvier à l'affaissement du terrain; les ouvriers réclamaient d'incessantes augmentations, les ennemis du projet engageaient des bandes pour saccager l'édifice. On raconte que Gangon jugea plus prudent de porter son épée chaque fois qu'il s'y rendait. Mais aucun de ses obstacles, ni un incendie, ni même la disparition de son épouse, ne dissuadèrent Gandon et, en 1791, la Custom House, bâtie en pierre de Portland brillante, était achevée.

La **partie sud** et son gracieux portique dorique flanqué d'arcades donnent sur la rivière, alors que la **partie nord** fait face à ce qui reste de la Gardiner Street géorgienne. Les quatorze **têtes fluviales** surmontant les portes et les fenêtres, représentant les principales rivières de l'Irlande, et la figure du **commerce** sur la coupole, sont du sculpteur Edward Smyth, la découverte de Gandon qui, déclara-t-il, était l'égal de Michel-Ange.

En 1921, la Custom House fut la cible des forces nationalistes. Un incendie fit rage pendant des jours faisant fondre les garnitures en cuivre et provoquant des lézardes dans la maçonnerie. Restaurée en 1926, le tambour de la coupole fut remplacé par de la pierre irlandaise d'Ardbraccan plutôt que par la pierre blanche d'origine de Portland et il a mal vieilli. Dans les années 1970, des rénovations plus importantes se rendirent nécessaires et l'actuelle Custom House fut dévoilée en 1991.

En haut, la façade sud de la Custom House bâtie par James Gandon, en bas, à l'arrière-plan le Centre international des services financiers récemment construit.

Ci-dessus, *les Four Courts par James Gandon, chef-d'œuvre de la Dublin géorgienne, en bas, l'église Saint-Michan fondée en 1096 par les Vikings.*

Four Courts

Le deuxième ouvrage de référence des édifices géorgiens de James Gandon, les **Four Courts**, fut commandé en 1796 par le Duc de Rutland pour succéder aux cours délabrées proches de Christ Church. On peut y admirer plusieurs enjolivements de Gandon, un portique corinthien central et des ailes latérales unies entre elles par des arcades du côté de la rivière. Il renferme également une œuvre sculpturale d'Edward Smyth.

L'église Saint-Michan

Seule la tour subsiste désormais de l'église fondée en 1096 par les Vikings et restée, pendant des siècles, la seule église paroissiale au nord de la Liffey. L'intérieur est simple mais renferme un orgue sur lequel aurait parait-il joué Haendel en composant "*Le Messie*". Mais l'église Saint-Michan est mieux connue pour ses corps momifiés qui sont conservés dans des caveaux du dix-septième siècle. Au dehors, dans le cimetière, attiré sans doute par les corps macabres des tombeaux, Bram Stoker, l'auteur de *Dracula*, avait coutume d'errer.

Les alentours d'O'Connell Street

Henry Moore, comte de Drogheda, projeta originairement l'alentours d'O'Connell Street. Son désir d'immortalité le poussa à citer son titre entier dans leur appellation: **Henry Street, Moore Street, Earl Street, Of Lane** et **Drogheda Street** (maintenant le haut de O'Connell Street). Henry et Moore streets sont des zones commerciales animées, avec des grands magasins et des centres commerciaux offrant les meilleures affaires de la ville. Moore Street est fameuse pour ses rangées de marchands ambulants vantant les mérites de leurs articles avec les accents chantants de Dublin.

En face, en haut et à droite, la Hugh Lane Municipal Gallery of Modern Art sur Parnell Square, en bas, dans le Musée des écrivains de Dublin, construit à l'apogée de la Dublin géorgienne, l'élégante Galerie des écrivains est décorée avec un ouvrage en stuc ouvragé.

Cette page, exilé pendant la plus grande partie de sa vie d'adulte, James Joyce situa toutes ses œuvres dans une Dublin minutieusement retracée. En effet, il déclara que si Dublin venait à être détruite, il aurait pu la reconstruire pierre par pierre d'après la description de ses écrits. En haut, sa statue se dresse dans la North Earl Street, en bas, à gauche, Henry Street grouillant de chercheurs d'occasions, en bas, au milieu et à droite, et les commerçants de Moore Street.

Hugh Lane Municipal Gallery of Modern Art

Ce musée d'art moderne était jadis l'hôtel particulier du comte de Charlemont, protecteur des arts. Il fut dessiné par Sir William Chambers en 1762, au temps où les riches et les puissants vivaient au nord de la Liffey et c'est l'une des galeries les plus plaisantes à visiter à Dublin en raison de sa taille ramassée. Sa collection d'art européen du dix-neuvième et du vingtième siècles comprend des œuvres impressionnistes rassemblées par Sir Hugh Lane, un négociant en art, qui légua sa collection à la Dublin Corporation en 1908. Après sa mort à bord du *Lusitania*, torpillé en 1915, une bataille légale s'engagea entre Dublin et Londres pour décider à qui allait échoir sa collection. Elle n'a été résolue que récemment et les tableaux sont maintenant partagés entre la Tate Gallery à Londres et le Hugh Lane.

Dublin Writers' Museum

Deux portes après la galerie, aux **N° 18** et **19** de **Parnell Square**, se trouvent respectivement le **Dublin Writers' Museum** et le **Irish Writers' Centre** (Musée des écrivains de Dublin et le Centre des écrivains irlandais). L'Irlande est réputée pour ses écrivains dont quatre d'entre eux ont reçu le prix Nobel de la littérature, William Butler Yeats, George Bernard Shaw, Samuel Beckett et Seamus Heaney, et leurs œuvres et leur vie, ainsi que celles de nombreux autres écrivains célèbres, sont conservées ici.

Parnell Square

La construction de **Parnell Square** démarra dans les années 1750. Dès les années 1780, elle se glorifiait de compter parmi ses habitants plus de pairs, de politiciens et d'évêques qu'aucun autre lieu de Dublin. La place était nommée, à l'origine, Rutland Square d'après le nom du vice-roi de l'époque, mais elle fut ensuite rebaptisée en souvenir du chef nationaliste, Charles Stewart Parnell, dont la statue se dresse en haut d'O'Connell Street. Le centre de la place contenait le Pleasure Gardens, la tentative de collecte de fonds entreprise par Bartholomew Mosse dans les années 1740, le coiffeur-chirurgien qui utilisa les droits d'inscription des protecteurs pour financer l'édifice du Lying-in (Rotonde) Hospital au sud de Parnell Square. Ce fut la première maternité d'Europe et elle est toujours en service. Tout ce qui reste désormais des jardins est un petit coin de verdure au nord de Parnell Square, de l'autre côté du **Musée des écrivains de Dublin**, appelé le **Jardin du souvenir** qui commémore l'insurrection de 1916.

King's Inns

Projeté en 1786, **King's Inns** fut le dernier grand édifice public de James Gandon et conserve toujours sa fonction première de fournir une formation et des locaux aux avocats. Alors que la première pierre fut posée par le comte de Clare en 1795, la construction, quant à elle, ne commença qu'à partir de 1802. Gandon avait quitté l'Irlande en 1797, soupçonnant à raison que la ville était sur le point de fomenter une révolution. Lorsqu'il revint, après la rébellion de 1798, il se trouva face à un arriéré de travail. Il avait presque soixante ans à l'époque et souffrait vivement de la goutte et c'est pourquoi il passa le plus gros du travail de King's Inns à son protégé, Henry Aaron Baker. L'édifice fut enfin achevé en 1817,

époque à laquelle Gandon s'était depuis longtemps retiré dans sa maison au nord de Dublin.

Tout comme Four Courts et la Custom House, King's Inns fut pensé pour s'ouvrir sur l'eau, un bras du canal royal se prolongeait autrefois jusque-là. Une gracieuse **coupole** s'élève au-dessus de la voûte centrale. Sur la gauche, une porte conduit à la salle à manger dans laquelle les avocats irlandais doivent effectuer une série de repas par an. De part et d'autre de la porte, apparaissent deux **caryatides** réalisées par Edward Smyth, le sculpteur favori de James Gandon. A gauche, se trouve Cérès, la déesse de la nourriture, et à sa droite se tient un disciple de Bacchus une coupe de vin à la main. Les personnages flanquant la porte, à droite de la voûte centrale, sont plus sobres. Il s'agit de la porte de l'ancienne cour souveraine, devenue à présent le Bureau d'Enregistrement des Actes, et les personnages représentent la "Loi", portant un livre et une plume d'oie et la "Sécurité" arborant une clé et un parchemin.

Ci-dessus, la gracieuse façade de King's Inns, le dernier édifice public de James Gandon, en haut, l'œuvre en pierre est d'Edward Smyth qui collabora à la majeure partie des projets de Gandon, au centre, le personnage de la "Sécurité" arborant une clé et un parchemin, en bas, deux télamons flanquant le porche du bureau d'Enregistrement des Actes.

Le parc Phoenix

Ainsi baptisé non par évocation de l'oiseau mythologique mais à cause d'une décrue du *fionn uisce* ou "eau claire" en irlandais, le **parc Phoenix** fut formé en 1662 lorsque les 2000 acres de terre entourant la résidence du vice-roi, connu sous le nom de manoir de Phoenix, furent transformés en un parc royal de cervidés. Lord Chesterfield ouvrit le parc au public en 1747 et les arbustes et les sentiers avaient déjà pris, dans l'ensemble, leur forme actuelle. Le parc contient de nombreux monuments, ainsi que le **zoo de Dublin**, célèbre pour son succès dans l'élevage des lions, sa progéniture la plus célèbre étant le lion rugissant qui apparaît sur le générique des films de la MGM.

Le Jardin du souvenir à Islandbridge

Près de 150.000 Irlandais combattirent et les 50.000 qui moururent sont commémorés dans le **Jardin du souvenir à Islandbridge**. Sir Edward Lutyens projeta le mémorial, qui s'étend sur 20 acres de terrain et est dominé par la **Magazine Hill** du parc Phoenix. Le travail fut accompli à la main pour donner un maximum d'emplois aux anciens soldats.

En haut, au centre, en bas, *des scènes paisibles du parc Phoenix, en bas, à droite, le Memorial Park, un jardin géologique.*

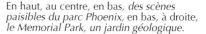

En haut, *une extension tranquille du Grand Canal, en bas, Portobello House, construite par la Compagnie du Grand Canal en 1807 et comptant parmi les cinq hôtels sur la route entre Dublin et la Shannon, a connu une vie changeante. Lorsque les passagers des bateaux n'empruntèrent plus le canal, il devint un foyer de femmes aveugles et, plus tard, une maison de retraite (l'artiste Jack B. Yeats y passa les dernières années de sa vie), jusqu'à ce qu'enfin il ne devienne Portobello College.*

Grand Canal

En 1715, une loi adoptée par le Parlement proposa un canal de liaison entre Dublin et les rivières Shannon à l'ouest et Barrow au sud. De sorte que deux canaux furent construits - le **Royal Canal**, au nord de Dublin, et le **Grand Canal** qui se déverse dans la Liffey à Ringsend, coupe le sud de la ville pour poursuivre par **Portobello** et **Dolphin's Barn**, où il y avait un port, et conduit enfin à la Shannon. Mais une fois les chemins de fer fermement implantés, ces voies navigables n'étaient plus compétitives et le trafic commercial s'arrêta dans les années 60. Depuis lors, les canaux ont été laissés à ceux qui aiment à se promener le long de leurs berges herbues.

AUTOUR DE DUBLIN

Dublin est sise dans une baie grandiose qui se déploie de Killiney, au sud, jusqu'au petit port de pêche de Howth dans le nord. Les sites de l'âge de bronze, les châteaux historiques, les abbayes et les vues sublimes ainsi que les rapprochements avec de célèbres écrivains, poètes et peintres, ont fait du littoral de Dublin l'un des plus explorés.

Au sud de Dublin, la ville balnéaire victorienne de **Dun Laoghaire** est le centre de navigation de plaisance de la côte est. Elle comprend quatre cercles nautiques et un joli port limité par deux jetées en pierre de trois kilomètres de long qui font saillie dans la baie de Dublin. Les longues soirées d'été, ces jetées sont bondées de Dublinois qui regardent les yachts de course lutter pour se faire une place autour de la ligne de départ.

A un kilomètre au sud environ de **Dun Laoghaire**, à **Sandycove**, la **tour Martello** se dresse sur la frange du littoral, l'une du cortège des vingt-cinq structures défensives côtières élevées en prévision d'une invasion de Napoléon. Jamais aucune d'entre elles ne vit l'ombre d'une action et elles ont été depuis converties en boutiques, maisons, musées ou laissées à l'abandon. La tour de Sandycove abrite maintenant les souvenirs du plus célèbre exilé d'Irlande, James Joyce, qui y passa autrefois quelques jours. Son ami, le chirurgien, écrivain et homme d'esprit Oliver St John Gogarty, séjournait parfois dans la tour pour composer ses poésies. En 1904, Joyce le rejoint. Quelques jours plus tard, toutefois, ils se querellèrent et Joyce quitta la place. Gogarty déclara qu'il l'aurait bien mis à la porte plus tôt mais qu'il craignait que Joyce "ne se fit un jour un nom" et que cet incident ne soit retenu contre lui. Ses craintes se confirmèrent. Lorsque Joyce en vint à écrire *Ulysse*, il situa les scènes d'ouverture dans la tour, avec un "imposant et gras" Buck Mullingan accomplissant ses ablutions quotidiennes. Gogarty était le modèle qui avait inspiré Buck Mulligan et il n'était pas très satisfait de l'honneur que Joyce lui avait rendu.

Sur l'un des flancs de la tour se trouve un emplacement rocheux pour la baignade appelé **Forty Foot**, non en raison de sa profondeur mais parce que le 40e régiment d'infanterie de l'armée britannique y était posté. Il était l'exclusivité absolue des hommes qui prenaient plaisir à faire des "baignades à poil", mais la libération de la femme est arrivée aussi à Forty Foot et désormais les nageurs, hommes comme femmes, sont vêtus de manière plus pudique. Ces baigneurs endurcis bravent les eaux glacées de la mer irlandaise toute l'année.

Plus au sud, le long de la côte, on rencontre **Dalkey**, jadis une ville aux remparts médiévaux et un important comptoir commercial. La ville a captivé l'imagination de nombreux écrivains, Flann O'Brien (Brian Nolan), le brillant romancier satirique, l'utilisa dans *Les Archives de Dalkey*, alors que le dramaturge Hugh Leonard y situa sa pièce *Da*. Ces dernières années, Dalkey est devenue le Beverley Hills d'Irlande avec ses magnifiques maisons

En haut, Sandycove, avec la tour Martello qui abrite le musée de James Joyce, à sa droite se trouve le bloc blanc de la maison de l'architecte Michael Scott, bâti dans les années 1930. Au centre et en bas, des vues le long de la côte de Sandycove et de la baie Killiney.

cachées derrière de grands murs ou se découpant sur le coteau de Dalkey. Elles appartiennent à des musiciens tels que Bono de U2 et Chris de Burgh, à l'écrivain Maeve Binchy ou à des metteurs en scène comme Neil Jordan. Mais malgré cela, l'atmosphère de Dalkey n'a pas changé. C'est toujours un endroit charmant pour flâner, s'asseoir et regarder le firmament. Derrière le village, se trouve Dalkey Hill, ses carrières abandonnées ont laissé place à une falaise escarpée. Une corniche mène de la carrière à un parc public sur **Killiney Hill** et offre des vues, de la baie de Dublin et de l'intérieur des terres jusqu'aux monts de Wicklow, à vous couper le souffle.

À quelque distance de là, au bord de la mer du côté du village de Dalkey, se loge le minuscule **port de Coliemore**, regorgeant de barques de pêcheurs, de filets et d'accessoires de pêche. Des embarcations en partent pour rejoindre l'**île de Dalkey**, une île rocheuse battue par les vents au large de **Sorrento Point**. Perchée sur une extrémité de cette petite île se tient une autre **tour Martello**, ainsi qu'une église délabrée remontant aux premiers chrétiens et consacrée à **saint Begnet**.

Sur la pointe la plus septentrionale de la baie de Dublin, on rencontre **Howth Head**, un promontoire portant le phare de Baily. En compagnie de l'**île de Dalkey** sur la pointe la plus méridionale, il se cambre pour former le havre gardé de la baie de Dublin. Ses vues plongeantes et surplombantes sur la baie et, par temps clair, par-delà la mer d'Irlande, sur le pays de Galles, lui donnèrent une importance militaire dès le tout début des vagues et des vagues d'envahisseurs qui y ont laissé leur trace. D'après la légende, un cairn au sommet de Howth Head indique la tombe d'un des premiers chefs celtes. Des siècles plus tard, les pillards vikings ont dû réaliser à quel point le site était idéal car ils furetèrent le long de la côte en quête d'un endroit où établir un comptoir commercial. Ils laissèrent des empreintes de leur passage dans l'**abbaye de Howth** délabrée que Sigtrygg, roi scandinave de Dublin, fonda en 1042. À l'intérieur, demeure la tombe où reposent Christian St Lawrence et sa femme, les ancêtres des Normands, la vague suivante de conquérants qui s'abattit sur l'Irlande. Des centaines d'années après, la famille St Lawrence vit encore au **château de Howth**.

Au septentrion de la pointe s'étire le **port de Howth**, jadis un port important mais désormais éclipsé par la nouvelle marina et le club nautique voisins. Les barques de pêche sortent encore du port, en contournant l'**Ireland's Eye**, l'îlot assis près de l'entrée du port, pour gagner la mer. Il y subsiste une autre **tour Martello** ainsi que les vestiges de la colonie monastique du sixième siècle de **saint Nessan**. Mais il est à présent inhabité sinon par les nombreux oiseaux qui y ont trouvé refuge.

En regardant la ville de Dublin depuis Howth, de longues étendues de sable et de dunes captent le regard. Il s'agit des zones protégées de **Dollymount Strand**, peuplées de Dublinois pendant les chaudes journées d'été, et de **Bull Island** - une langue de terre sablonneuse, surmontée de dunes herbues et unie par un pont de bois au rivage. En hiver, les seuls visiteurs sont des centaines d'oiseaux qui y font une courte halte.

En haut et au centre, un sentier serpente autour de Howth Head offrant des vues allant jusqu'au pays de Galles par temps clair, en bas, l'abbaye de Howth fondée par les Scandinaves en 1042 et, au loin, le port et l'Ireland's Eye, une réserve d'oiseaux.

*L*e Leinster est l'une des quatre anciennes provinces d'Irlande ceignant les monts pittoresques du **Wicklow**, les marécages et les plages sablonneuses du **Wexford,** du **Kilkenny** siège des nobles Butler, les riches prairies du **Kildare** et du **Meath**, les pénéplaines du **Louth,** de l'**Offaly**, du **Leix**, du **Carlow**, du **Westmeath** imprégné d'eau, et du **Longford**.

WICKLOW

Le **Wicklow** recouvre une partie de la région qui était autrefois appelée "The Pale", une petite région changeante qui, à partir du seizième siècle, était considérée par les Britanniques comme civilisée et loyale. L'héritage de la suprématie anglo-irlandaise subsiste dans les manoirs raffinés et les jardins à la française de **Russborough** et **Powerscourt**. Mais ces propriétés d'une élégance raffinée sont entourées de toute part par un Wicklow plus sauvage, celui des collines ondulées, des grandes fondrières et des profondes vallées glaciaires qui sont le foyer de lacs sombres et de chutes d'eau spectaculaires. Dans ces lointaines vallées, telles que **Glenmalure** et **Glenn of Imaal**, les rebelles irlandais trouvèrent une fois refuge, sachant pertinemment que les monts de Wicklow allaient tirer le rideau sur leur présence. Des visions fugitives d'une allégeance irlandaise beaucoup plus précoce dans l'importante colonie monastique de **Glendalough**, y sont encore présentes.

En face, la chute de 122 m de haut des cascades de Powerscourt est vivifiante. Lorsque le roi Georges IV visita le manoir de Powerscourt en 1821, la cascade était endiguée pour offrir une vue bien plus spectaculaire qu'aujourd'hui et un pont panoramique fut érigé. Le roi y fit aussi de longs dîners quoi que jamais il n'entreprit de voyage vers la cascade, bien lui en prit car, quand le torrent d'eau maîtrisée fut libéré, il balaya le pont. Le manoir de Powerscourt fut dévoré par les flammes en 1974, et il abrite désormais un restaurant et des boutiques. Mais ses jardins à la française valent toujours la peine d'être visités.

Cette page, en haut, la montagne de Great Sugarloaf dans le comté de Wicklow dresse sa tête de granit au-dessus de la campagne environnante, en bas, les monts de Wicklow, couverts de kilomètres de bruyère et de tourbières tapissées d'ajoncs sur les hauteurs, ont plus de 600 m d'altitude.

Glendalough

Glendalough ou le "Vallon des Deux-Lacs" est le site d'un monastère fondé par saint Kevin au sixième siècle. Ce fut un important centre d'apprentissage et, comme d'autres monastères de cette famille, il aurait été riche en trésors: calices en or, couvertures de châsses finement travaillées et manuscrits enluminés. On peut déduire la richesse de Glendalough du nombre de pillages que les Vikings commirent au neuvième et au dixième siècles suivis des Anglais au quatorzième siècle. Malgré cela, le monastère continua toutefois à se maintenir jusqu'au seizième siècle.

L'ensemble des constructions des premiers chrétiens est regroupé autour du plus bas des deux lacs et comprend une **cathédrale** du dixième siècle, une **croix celte** du

En haut, *une vue aérienne de la colonie monastique du sixième siècle à Glendalough avec sa tour ronde de 30 m de hauteur*, en bas également, *qui est clairement visible.*

huitième et **l'église Saint-Kevin**, une minuscule construction de pierre avec des ajouts ultérieurs comme le beffroi. Les trente mètres de hauteur de la **tour ronde** sont caractéristiques de ce genre de sites. L'embrasure de la porte devait être placée plus haut de manière à ce que les moines puissent retirer leurs trésors en cas d'attaque. Le monastère se tient à l'entrée de la vallée glaciaire et encaissée, renfermant deux lacs, et la vue y est d'une beauté stupéfiante. Des sentiers conduisent du **lac supérieur** à travers des bois touffus jusqu'à une cascade vrombissante. Alentour, dans les bois et les escarpements du lac supérieur, on peut trouver les châsses des pèlerins et même les ruines de l'église d'origine de saint Kevin, **Tempeall na Skellig**. Mais c'est l'atmosphère de paix régnant à Glendalough, même au plus fort de l'été, qui impressionne le plus.

En haut, des sentiers conduisent vers le lac supérieur à travers des bois touffus, une montagne escarpée et une chute d'eau. En bas, les ruines de Tempeall na Skellig, l'église Saint-Kevin d'origine.

En haut, *l'abbaye de Selskar détruite par Oliver Cromwell*, au centre et en bas, *le bruit court qu'il existe quatre-vingt-treize pubs à Wexford, certains d'entre eux, comme le Macken's, font aussi office d'établissement de pompes funèbres.*

WEXFORD

Les Vikings fondèrent le port de Wexford il y a de nombreux siècles au sud de l'estuaire de la rivière Slaney. Et l'importance de la mer, dans le commerce comme pour la pêche, transparaît dans la manière dont la ville regarde la mer derrière ses vastes quais. Des rues étroites et sinueuses et des ruelles inattendues sont les vestiges de la ville médiévale. Prise par les Normands en 1169, elle connut une période en tant que ville de garnison anglaise, mais la tragédie de son histoire fut le massacre de 1500 de ses habitants par Oliver Cromwell en un lieu connu sous le nom de **Bull Ring**.

Par suite de son histoire troublée, Wexford et les environs du comté sont parsemés de tours, châteaux et abbayes tombant en ruines. Le **fort de Duncannon** fut bâti en prévision d'une attaque de l'Armada espagnole, le **château de Ballyhack** du quinzième siècle défend l'estuaire de Waterford et il existe deux abbayes cisterciennes du dix-huitième siècle, **Dunbrody** et **Tintern**, qui furent créées par un comte naufragé reconnaissant d'avoir été rejeté vivant sur le rivage.

Le comté de Wexford comprend des kilomètres de plages de sable à **Curracloe**, **Rosslare** et **Bannow**, alors que les marécages de vase au nord de l'estuaire de la Slaney fournissent un abri hivernal aux centaines de goélands et de sternes communs, mais aussi aux palombes, cygnes chanteurs et barges à queue noire. Des espèces en danger telles que les cygnes de Bewick et les oies rieuses du Groenland doivent leur survie aux tourbières de Wexford. Les meilleurs endroits pour observer les oiseaux sont **Cansore Point**, les **îles Saltee** ou **Hook Head**.

Kilmore Quay

Bon nombre des plus jolis villages du Wexford sont disséminés le long de sa côte. **Kilmore Quay**, un village de pêcheurs pittoresque, a un port actif qui est un enchevêtrement de mâts et de filets. Il fait partie de l'ancienne baronnie de **Forth**, un vestige de la culture normande, où jusqu'au début du siècle un dialecte de français moyen-âgeux appelé "Yola" était encore parlé.

Hook Head

La **péninsule de Hook Head** s'avance au sud, protégeant l'embouchure de la rivière Barrow et la ville de New Ross sur ses rives. Pour guider les marins autour de cet affleurement, qui est un terrain fertile pour les chasseurs de fossiles, il y a un point de repère dépouillé: le plus vieux phare d'Europe dénommé **Hook Head**.

En haut, *la rue principale de Wexford*, au centre, *le port de Kilmore Quay, un enchevêtrement de mâts et de filets de pêche*, en bas, *le phare de Hook Head, le plus vieux d'Europe*.

LES CHAUMIÈRES

A partir du dix-septième siècle, les chaumières, leurs murs fraîchement blanchis à la chaux et leurs étroites fenêtres, furent une vision commune dans l'Irlande rurale. Beaucoup d'entre elles ont désormais été remplacées par des petits pavillons modernes aux toits de tuile, mais l'on peut encore trouver quelques chaumières dans le sud-est et dans l'ouest du pays. Chaque région a son style propre: celles du Donegal et de la côte occidentale, où les vents de l'Atlantique s'infiltrent, ont des chaumes bien attachés avec des cordes et des poids en croisillons. Les matériaux varient en fonction de ce qui est disponible sur place: dans l'ouest et dans le sud, on peut utiliser la bruyère, alors que dans les zones côtières, l'oyat est plus commun. Celles qui se trouvent à Kilmore Quay utilisent une magnifique paille dorée.

Le style des chaumières varie d'une région à l'autre, sur cette page, celles de Kilmore Quay dans le comté de Wexford utilisent une paille à la couleur dorée.

LE SUD-EST DE L'IRLANDE

KILKENNY

Les riches terres arables du **Kilkenny**, irriguées par les rivières Barrow et Nore, attirèrent très tôt les colons dans l'histoire irlandaise et l'on peut voir partout des vestiges de leurs châteaux et de leur abbayes. Plus récemment, une nouvelle vague de colonisateurs formés d'artistes, artisans et écrivains ont été fascinés par ce paysage vierge. De jolis villages, tels que **Thomastown** et **Graigue-managh** sur la Barrow, dominés par l'**abbaye de Duiske**, jalonnent chaque coude de la route.

Le château

Le **château de Kilkenny** est juché sur une colline surplombant la rivière de la Nore et les ruelles de la vieille ville de Kilkenny. Quatre abbayes médiévales, et la **cathédrale Saint-Canice**, avec sa tour d'origine du sixième siècle, y sont rassemblées en témoignage de l'ancien prestige de la ville. Le comte normand, Strongbow, laissa un fort sur le site du château après avoir pris la ville en 1169. L'enceinte de la ville et le château suivirent et la grande famille Butler, les comtes d'Ormonde, posséda le château et ses riches terres de 1391 à 1715, date à laquelle leur propriété fut confisquée en raison de la rébellion contre les Anglais.

En haut, détail du vitrail dans la Black Abbey du treizième siècle, l'une des quatre abbayes de la ville de Kilkenny, en bas, le château de Kilkenny, résidence des Butler, comtes d'Ormonde, fut le siège du Parlement à partir de 1631.

L'abbaye de Jerpoint

A quelques kilomètres de Thomas-town se dresse la belle ruine de l'**abbaye de Jerpoint**. Remontant à 1158, elle fut fondée pour les Béné-dictins par le roi d'Ossory, Donald Mac Giolla Phádraig. Dès 1180, des moines cisterciens d'un monastère de Baltinglass dans le comté de Wicklow, l'avaient colonisée. Suite à la réforme, la terre de l'abbaye fut louée au comte d'Ormonde. Elle se conforme au dessin classique d'une abbaye cistercienne, érigée autour d'une cour avec des galeries en ar-cades sur trois flancs, et une église sur le quatrième. Au quinzième siècle, des parties de l'abbaye furent reconstruites et les délicates sculp-tures d'animaux, de plantes et de personnages dans les cloîtres ont été ajoutées. A l'opposé du même pi-lier, on peut voir un évêque et un abbé, un chevalier portant les armes du comte d'Ormonde et sa femme, baptisés avec hésitation Sir Piers Butler et Margaret Fitzgerald.

En haut, la tour du coin nord de l'abbaye de Jerpoint fut vraisemblablement ajoutée au quinzième siècle, en bas, à gauche et à droite, de jolies sculptures de saints, chevaliers, animaux et plantes décorent les cloîtres de l'abbaye.

CARLOW

Localisé au sud-ouest de Dublin, **Carlow** est le plus petit comté de l'intérieur des terres d'Irlande et est largement consacré à l'agriculture. Mais il possède également de nombreux et beaux manoirs tels que celui de **Dunleckney** près de **Bagnelstown**, le **château de Castletown** à **Clonegal**, et de merveilleux jardins, dont beaucoup sont ouverts au public comme les **jardins d'Altamont** à côté de **Killbridge** ou les **jardins de Lisnavagh** à **Rathvilly**.

Le dolmen de Browne's Hill

Cette énorme structure de pierre remonte à 3300-2900 avant notre ère, et sa dalle reposant horizontalement sur les autres pierres, pèse environ 101 tonnes et fait $1,9\ m^2$ la rendant ainsi la plus large d'Europe. Personne n'a encore résolu le mystère au sujet de la manière dont elle a été hissée et mise en place. En général, la dalle horizontale devrait être inclinée vers le haut à l'avant, reposant sur deux blocs verticaux plus ou moins de la même taille.

Les blocs verticaux de ce genre comme les tumulus funéraires, datant de la période néolithique, parsèment la campagne irlandaise. Ces dolmens servaient de sépultures communes et l'on a supposé qu'ils avaient leur place dans les rites religieux, voire même dans les sacrifices humains.

En haut et en bas, *le dolmen de Browne's Hill date de 3300 à 2900 avant notre ère et est le plus grand dolmen d'Europe.*

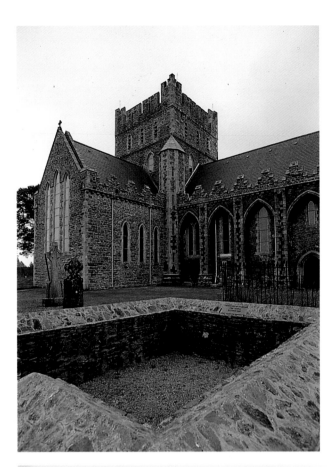

KILDARE

Le **comté de Kildare** fait partie de "The Pale", ce territoire "civilisé" par la colonisation anglaise. Aussi n'est-il pas surprenant d'y trouver ici de grandes propriétés terriennes telles que **Castletown House**, mais Kildare compte également de riches prairies, des tourbières associées à l'Irlande mythique, et une constellation de magnifiques croix des premiers chrétiens qui valent la peine d'être dénichées.

La cathédrale Sainte-Brigide

Sainte Brigide est l'une des plus grandes saintes de l'Irlande, bien qu'elle soit probablement un amalgame entre une déesse préchrétienne et la plus tardive Brigide chrétienne. Selon la légende, Brigide fut vendue en esclavage par son père mais lui revint comme servante lorsqu'elle fut libérée. Elle fonda ensuite le premier couvent d'Irlande. Il devint un centre du savoir, produisant des manuscrits enluminés et des livres précieux. La **cathédrale Sainte-Brigide**, qui domine la ville de Kildare, est estimée avoir été bâtie sur le site de son monastère du cinquième siècle.
Des parties de l'édifice datent du douzième siècle mais il fut complètement restauré au quinzième siècle et, une nouvelle fois au dix-neuvième siècle. Pour la vue ma-

En haut et en bas, la cathédrale Sainte-Brigide, dans le centre de Kildare, érigée sur le site du cinquième siècle du monastère de la sainte.

gnifique, il mérite qu'on prenne la peine de gravir sa **tour ronde** du douzième siècle, avec son portail roman décoré.

L'écurie nationale irlandaise

Kildare est connue pour ses chevaux, élevés et entraînés dans les prairies du **Curragh**. On y trouve des champs de courses et de nombreuses écuries, comprenant l'**écurie nationale**, montée par le Colonel Hall Walker, en 1900. Homme excentrique, Hall Walker croyait fermement aux horoscopes et à leur influence sur le succès d'un cheval. Les stalles des écuries sont construites selon ses croyances astrologiques. Qu'il ait eu raison ou tort, l'écurie nationale a été couronnée de succès et l'on peut voir ses chevaux aux compétitions de course qui se déroulent d'avril à septembre.

Les jardins japonais

Sur les terres de l'écurie nationale, entre 1906 et 1910, le Colonel Hall Walker dessina aussi les **jardins japonais**, avec l'aide d'un jardinier japonais, Tasa Eida. Les jardins symbolisent "la vie de l'homme" et vous pouvez, littéralement, marcher sur le chemin de la vie, depuis la naissance ou le mariage et le célibat jusqu'à, finalement, la porte de l'Eternité.

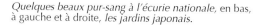

Quelques beaux pur-sang à l'écurie nationale, en bas, à gauche et à droite, les jardins japonais.

53

En haut, *Castletown House, le bâtiment central et les colonnades ont introduit le style Palladien en Irlande*, au centre, à gauche, *l'escalier principal, inachevé pendant 40 ans, se tient dans une pièce à part, décorée par les artisans les plus en vue de l'époque*, à droite et en bas, *des détails de la Long Gallery, de 24 m de longueur, décorée dans le style pompéien.*

Castletown House

L'une des plus belles demeures d'Irlande, **Castletown**, dans le village de **Celbridge**, est connue pour avoir semble-t-il introduit le style Palladien dans l'architecture irlandaise. Même au temps où elle fut construite, Castletown était perçue comme une sorte de monument national. Commandée par William Conolly, président de la Chambre des Communes irlandaise et, à partir de 1716, président de la Cour de justice, la maison fut un acte de patriotisme et une intention politique.

Conolly avait fait fortune en acquérant et en vendant les terres confisquées après les guerres de Williamite.

Farouchement fier de son caractère irlandais et désormais très à l'aise, il était déterminé à stimuler les intérêts irlandais et l'amour-propre national. Il fit appel au plus brillant architecte du continent, l'Italien, Alessandro Galilei qui avait dessiné la Basilique Saint-Jean-du-Latran à Rome. La contribution de Galilei au dessin est, toutefois, incertaine. Il dessina certainement le bâtiment central qui suscita un cortège d'imitations. Les pavillons et l'intérieur sont vraisemblablement l'œuvre d'Edward Lovett Pearce qui reprit le projet en mains en 1724.

Après la mort de Conolly, sa veuve se concentra sur une série d'étranges oeuvres de secours à la famine faisant rage dans le domaine: **Conolly's Folly**, **Wonderful Barn** et **Batty's Langley Lodge**. Mais l'essentiel de l'intérieur devait attendre jusqu'à 1758 et l'arrivée de Lady Louisa Lennox, la femme du petit-neveu de Conolly. Elle engagea Simon Vierpyl, le tailleur de pierre, pour installer l'**escalier** monumental en encorbellement, les célèbres stucateurs italiens, les Francini pour réaliser le plâtre délicat du **hall d'escalier**. Elle fut aussi à l'origine de la **salle imprimée**, le premier exemple qui soit. Lady Louisa vécut longtemps et aima Castletown. Elle mourut selon ses vœux, assise sous une tente sur la pelouse frontale de sorte que sa dernière vision fut celle de sa maison.

LES COMTES DU CENTRE

OFFALY

Le **Grand Canal** parcoure les plaines du **comté d'Offaly** dans sa course vers la grande rivière Shannon. Au sud, on trouve les contreforts des monts de **Slieve Bloom**, alors qu'à l'est et à l'ouest sont situées les tourbières qui fournissent au pays sa source principale de combustible.

Le monastère de Clonmacnois

Clonmacnois se dresse dans une courbe de la rivière Shannon et fut fondé par saint Ciarán en 545 après qu'il eut quitté sa cellule de l'île de Lough Ree. Le monastère grandit en taille et en réputation pour devenir, pour un temps, le site religieux le plus influent du pays. Son cimetière est supposé contenir les tombes des sept rois de Tara, outre le dernier roi suprême, Rory O'Connor et bon nombre des anciens grands héros d'Irlande (plusieurs dalles funéraires y demeurent encore). C'était même un centre du savoir, le *Book of the Dun Cow* du douzième siècle, actuellement à la **Royal Irish Academy** à Dublin, provient de ce *scriptorium*. Mais le pouvoir et l'aisance du monastère attirèrent la convoitise des pillards vikings entre 841 et 1204, et il fut incendié vingt-six fois. Enfin, en 1552, la garnison anglaise postée à Athlone mit le monastère à sac. Clonmacnois ne s'en remit jamais.

La puissance de Clonmacnois est manifeste dans ses vestiges: deux **tours rondes**, un **château** normand érigé pour indemniser un abbé du dommage qu'il avait subi à sa propriété, trois **hautes croix**, des **églises** et une **cathédrale**.

Une tour ronde du monastère de Clonmacnois aurait été construite en 964 et reconstruite, après avoir été frappée par la foudre en 1134.

En haut, *le château de Birr est toujours habité par les comtes de Rosse pour lesquels il fut construit au début du dix-septième siècle, en bas, les jardins du dix-neuvième siècle contiennent les restes d'un télescope de 16.5 m de long.*

Page ci-contre, en haut, la porte de Dublin du château médiéval de Trim, dont les murs encerclent une surface de 1.2 hectares, en bas, l'abbaye moyenâgeuse de Bective fut fondée par le roi de Meath qui obtint un siège au Parlement.

Birr

La ville de Birr est un lieu élégant aux rues larges et raffinées, construite autour du **château de Birr**, résidence des membres de la famille Parsons, qui devinrent plus tard les comtes de Rosse. Le château, toujours habité par la famille, fut édifié au début du dix-septième siècle et se profile auprès d'une cascade qui se jette dans l'une des deux rivières de la propriété. Les jardins furent projetés au début du dix-neuvième siècle et possèdent un lac artificiel, des jardins à la française avec de charmantes allées, les plus hautes haies de buis du monde et plus d'une centaine de variétés d'arbres et d'arbrisseaux. Mais par dessus tout, ce sont les vestiges d'un long télescope de 16.5 m qui sont célèbres, le plus grand du monde à une certaine époque. Charles Parsons, troisième comte de Rosse et un scientifique reconnu, le construisit en 1845 et son cataphote à large diamètre, actuellement au Musée de la Science de Londres, aida sa recherche des nébuleuses spirales.

Les murs qui soutenaient le télescope sont encore visibles mais le télescope lui-même a été démonté.

MEATH

Jusqu'au seizième siècle, le **comté de Meath**, avec le **comté** voisin **de Westmeath**, formaient la cinquième province de l'Irlande. Alimenté par la rivière Boyne, qui amena très tôt des colons de la côte jusqu'à l'intérieur des terres, Meath a une campagne riche et verte et, de ce fait, devint le lieu d'où le roi suprême gouvernait jadis l'Irlande.

Le château de Trim

Au cœur de la jolie ville moyenâgeuse de **Trim**, se découpent les ruines d'un grand château, abandonné dans les années 1650. Bordé, sur trois côtés, par des murs d'une épaisseur de 3.4 m, et par la rivière Boyne sur le quatrième, il se tient sur l'emplacement même où une première motte fut élevée avec une tour de bois, incendiée, reconstruite et démolie, tout cela avant 1212.

L'abbaye de Bective

Un peu plus au nord, le long de la Boyne, une abbaye cistercienne fut fondée en 1150 par le Roi de Meath. Son abbé avait un siège au Parlement et donc l'**abbaye de Bective** était particulièrement puissante. Les ruines datent du douzième siècle, période à laquelle l'abbaye fut reconstruite: la **salle capitulaire**, fragments des bâtiments de la domesticité et les porches de l'**aile sud**. Au quinzième siècle, les bâtiments furent fortifiés, le **cloître** restauré, la **tour** et le **grand hall** ajoutés. L'abbaye fut supprimée en 1536.

La colline de Tara

Peu de lieux en Irlande sont autant au cœur de l'histoire irlandaise et de sa légende que la colline royale de **Tara**. Là, le roi suprême tenait sa cour et les rituels de la royauté s'y déroulaient. D'après la légende, ce fut sur la **colline** voisine **de Slane**, au cinquième siècle, que saint Patrick choisit de défier la force païenne de Tara et de son roi suprême, Laoghaire. La rencontre fut significative, Laoghaire se soumit au dieu de saint Patrick et la conversion de l'Irlande commença sérieusement.

Mais la signification religieuse de Tara remonte en fait, à beaucoup plus loin, à la préhistoire et au culte des prêtres rois qui se transforma en celui des rois suprêmes. Des fouilles ont révélé que Tara comprend de nombreux sites funéraires de l'âge de fer, des anneaux fortifiés et des ouvrages de terre. D'en bas, la colline est décevante, à peine mieux qu'une butte herbeuse, mais d'en haut, elle donne sur des vues impressionnantes vers l'est jusqu'à la côte, vers le nord jusqu'aux monts Mourne et au sud, jusqu'à Wexford.

En haut, le Lia Fáil, ou Pierre du destin, la pierre inaugurale; on disait qu'elle grondait lorsqu'un véritable roi s'y tenait, en bas, la colline de Tara, montrant la fortification connue sous le nom de "Cormac's House".

Newgrange

Newgrange est l'un des trois sites préhistoriques de l'ensemble connu sous le nom de **Brú na Boinne**, situé dans un coude de la Boyne, au-delà de Slane, les autres étant **Dowth** et **Knowth**. Tous sont des tumulus comprenant une vaste chambre funéraire sous un amas de terre, mais Newgrange est reconnu comme étant le site le plus considérable de l'âge de pierre en Europe. Une vaste butte circulaire, d'environ 9 m de hauteur sur 104 m de diamètre, et de grandes dalles de pierre sont décorées avec des spirales complexes. Elles doivent avoir une signification religieuse ou astronomique. A l'intérieur de la butte, un tunnel droit en pierre conduit à une chambre de 6 m de hauteur au plafond voûté. Le matin du solstice d'hiver, une fente dans l'une des dalles de couverture dirige les rayons du soleil levant le long du tunnel dans la chambre, la faisant scintiller de mille reflets lumineux.

Rien d'étonnant à ce que cet ancien site apparaisse dans de nombreuses légendes celtiques.

La tombe de l'âge de pierre de Newgrange, en haut, au point du jour, durant le solstice d'hiver, une fente près de l'entrée fait converger les rayons du soleil le long du tunnel intérieur pour illuminer la pièce principale, en bas, l'amas de terre s'élève à 9 m de hauteur.

LOUTH

Après nombreux détours et contours, la rivière Boyne se jette enfin dans la mer à **Drogheda**, une ville viking perchée sur les rives du fleuve. De longues plages sablonneuses bordent le littoral de ce comté, alors qu'au nord, à **Carlingford**, comme la célèbre chanson le dit, les monts de **Mourne** "descendent en pente douce jusqu'au bord de la mer".

Drogheda

Les Vikings construisirent un hameau sur chaque rive de la Boyne et le pont qui les unit donna son nom à la ville, *Droichead Átha*, signifiant "pont du gué". Dès le quatorzième siècle, Drogheda était devenue la rivale de Dublin, hébergeant même des séances parlementaires. Des restes de cette ville médiévale subsistent encore. Oliver Crowell passa par Drogheda en 1649, massacrant 2000 membres de la garnison; les survivants furent envoyés en esclavage sur l'île Barbade. Toutefois, la plus grande partie de la ville remonte à la période beaucoup plus pacifique du dix-huitième et du dix-neuvième siècles.

En haut, *la ville de Drogheda sur les rives de la rivière Boyne, en bas, les restes de la première abbaye cistercienne à Mellifont en Irlande.*

L'abbaye de Mellifont

La première abbaye cistercienne d'Irlande, l'**abbaye de Mellifont**, fut fondée en 1142 par saint Malachy, l'archevêque d'Armagh. A l'apogée de son règne et, en tant que maison mère de l'Ordre, **Mellifont** dirigea trente-huit autres monastères d'Irlande. Le monastère fut dispersé à la dissolution des abbayes par le Roi Henri VIII, en 1539.

La croix de Muiredach

Non loin de l'abbaye de Mellifont se trouve **Monasterboice**, un monastère beaucoup plus petit qui est célèbre pour ses deux **croix celtes** et sa **tour ronde**. La **croix de Muiredach** est la plus petite et la plus parfaite des deux. Les deux croix sont décorées avec des scènes de la Bible travaillées en relief sur les deux faces. La plupart d'entre elles ont été identifiées; elles comprennent le Jugement Dernier, les Rois Mages faisant leurs offrandes à l'enfant Jésus et la Crucifixion.
Fondé en 521, Monasterboice fut abandonné peu après 1122. Il contient la plus haute tour ronde d'Irlande, quoi qu'il fut incendié en 1097 et que les manuscrits et les trésors qu'il renfermait furent brûlés.

A droite, le côté est de la haute croix du dixième siècle connue sous le nom de croix de Muiredach montre des scènes bibliques telles que David tuant le Lion et l'Ascension, en bas, l'intérieur de l'une des deux églises à Monasterboice.

Les six comtés qui forment la province de **Munster** sont chacun très différents dans leur paysage, avec le luxuriant **Tipperary**, le pittoresque **Waterford**, la beauté du **Cork** et de ses baies, les magnifiques lacs du **Kerry**, le **Limerick** historique et les plateaux calcaires du **Clare**.

TIPPERARY

C'est sans doute à cause du **Tipperary** que l'Irlande est renommée pour sa verdure. La rivière Suir serpente dans la vaste plaine du **Golden Vale** irrigant ce riche pâturage verdoyant pour les troupeaux de vaches laitières tandis qu'au sud les monts **Galtee** et **Comeragh** se profilent à l'horizon.

Le rocher de Cashel

Surplombant le plateau environnant, le dramatique **rocher de Cashel**, tout de tourelles et de tours, est vraiment imposant. Ce groupe d'édifices ecclésiastiques médiévaux comprend la **chapelle de Cormac**, une **cathédrale**, une **tour ronde**, une **tour-maison**, et le **Hall des vicaires** avec la **haute croix de saint-Patrick** qui, dit-on, était la pierre du couronnement des rois de Munster.

Le rocher était le site d'une fortification du quatrième siècle pour les rois de Munster et, plus tard, au dixième siècle, Brian Boru, le roi de Munster qui parvint à unir l'Irlande sous son égide, y fut couronné et baptisa sa capitale Cashel. La chapelle de Cormac date du début du douzième siècle et les deux porches, avec leurs sculptures compliquées d'animaux et de têtes humaines, leurs piliers et leurs cannelures, sont de superbes exemples romans du travail de la pierre. A l'intérieur, un sarcophage aurait été la tombe de Cormac, le roi, évêque et lettré. La tour ronde pourrait remonter au dixième siècle, alors que la cathédrale, gothique dans son dessin, date quant à elle, du treizième siècle.

En haut, *le rocher spectaculaire de Cashel avec son église primitive, une vaste cathédrale, une tour ronde et une tour-maison et, au centre, le Hall des vicaires du quinzième siècle, en bas, des sculptures savantes de saints en pierre sur un autel-sarcophage dans la cathédrale.*

*La tour de Reginald à Waterford remonte probablement
au douzième siècle.*

WATERFORD

Le **comté de Waterford** est très pittoresque, avec des
montagnes escarpées au nord et un littoral de baies sablonneuses et de falaises au sud. La rivière Suir poursuit
son cours du comté de Tipperary en traversant celui de
Waterford pour se jeter dans la mer à la ville de **Waterford**, un grand port. Les Vikings, les Normands et les Anglo-Irlandais ont laissé leur empreinte sur le paysage, se-
mant des tours rondes, des châteaux et de grandes propriétés ça et là. Waterford elle-même, comme beaucoup
d'autres villes, joue son importance avec la présence
d'un profond port naturel à l'estuaire d'une rivière qui
pénètre loin à l'intérieur des terres vers le riche sud-est.
Les Vikings furent les premiers à tirer profit de ces parti-
cularités lorsqu'ils établirent la ville en 914. Quand Dermot MacMurrough, roi du Leinster, invita le comte anglo-normand de Pembroke pour protéger, pour son
compte, l'importance stratégique de la ville, il était dans
ses projets de devenir roi d'Irlande. Cependant, l'invitation eut des conséquences imprévues conduisant, entre
autres, à la colonisation anglo-normande de l'Irlande. La
ville médiévale prospéra en tant que port et continua de
le faire jusqu'au dix-neuvième siècle. L'architecture de

Waterford reflète ce passé commercial, il existe des endroits d'une élégance géorgienne, des longs quais et des
venelles de la Waterford viking et moyenâgeuse. Le visage plus sévère de son quartier commercial, les quais,
bordés de grues et de cargos, donnent encore une prospérité relative à la région.

La tour de Reginald

L'imposante structure cylindrique de la **tour de Reginald**
a connu de multiples réincarnations. Soi-disant érigée
par Reginald le Danois en 1003, il est plus probable que
la structure actuelle date du temps des Normands. Ce fut
là, selon la légende, que le comte de Pembroke ou
Strongbow, appellatif sous lequel il devint célèbre, récla-
ma sa récompense pour avoir conquis Waterford au nom
de Dermot MacMurrough, roi du Leinster. On lui donna
en mariage Aoife, la fille de MacMurrough, et il acquit
ainsi son héritage en concluant une alliance cruciale
entre le comte normand et le roi irlandais, le premier du
genre. En 1643, l'Hôtel de la Monnaie y était hébergé,
alors qu'au dix-neuvième siècle, il devint une prison.
C'est à présent le **musée municipal**.

L'usine de cristal de Waterford

Waterford est mondialement connue pour son **cristal** et ses pièces en verre taillé magnifiquement ouvragées, décoratives ou utilitaires, fabriquées à la main. Fondée en 1783, l'usine ferma ses portes en 1851. Elle rouvrit cent ans plus tard, si bien que les visiteurs peuvent voir aujourd'hui les souffleurs de verre réaliser ces œuvres au design classique.

SUD-OUEST DE L'IRLANDE

CORK

Le comté de **Cork** est le plus grand
d'Irlande. Tout au long de ses côtes
accidentées, on trouve des ports tels
Youghal, **Kinsale**, **Crosshaven** et,
bien sûr, **Cork**, autant de villes qui
furent jadis de florissants lieux
d'échanges. La douce campagne
orientale est couverte d'exploitations
agricoles, tandis que la partie occidentale s'étend, sauvage, dans toute
son extravagante beauté: le col de
Gougane Barra, les caps de **Mizen
Head**, les péninsules rocailleuses
ainsi que les baies sablonneuses et
hospitalières ont accueilli artistes et
artisans venus du monde entier.

La ville de Cork

Cork se targue d'être la seconde ville d'Irlande. La vieille ville domine
un estuaire sur la plaine d'une île
entourée par la **rivière Lee**, qui fut à
l'origine de la prospérité des
échanges. On peut voir ci-contre
l'étendue des nouveaux quartiers de
Cork.
Cork fut fondée par saint Finbarr qui,
au septième siècle, construisit une
abbatiale et une école à l'endroit où
s'élève aujourd'hui la **cathédrale**.
Mais, comme il advint de plusieurs
villes irlandaises, les Vikings suivirent inévitablement au neuvième
siècle et, après eux, les Normands,
au douzième. La plus grande partie
de la ville fut détruite lors du siège
de Cork, en 1690, par les forces de
Guillaume d'Orange. Les siècles qui
suivirent furent des siècles d'expansion: le commerce apporta la prospérité et la ville grandit rapidement.
Plusieurs résidences des élégants
dix-huitième et dix-neuvième siècles
ont été financées grâce à cette richesse. Dans un passé récent, la ville a souffert de la guerre d'indépendance et de la guerre civile.

En haut, *la ville de Cork est un ensemble
de clochers et de tours*, en bas à gauche, *la
jolie église géorgienne de St Anne's
Shandon où les visiteurs peuvent gravir le
beffroi et sonner les cloches*, et à droite, *la
rivière Lee contourne l'île du centre ville.*

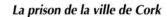

En haut, à droite et à gauche, *la prison municipale de la ville de Cork fut transformée en musée qui présente l'histoire générale du mouvement républicain et la vie à l'intérieur de la prison, en bas, la cathédrale de Pugin dominant le port pittoresque de Cobh.*

La prison de la ville de Cork

La **prison de la ville de Cork** est aujourd'hui un musée qui rappelle la vie et l'idéal de ceux qui jadis y furent enfermés, et présente, en outre, des artefacts archéologiques et géologiques. Cork joua un rôle important dans les guerres anglo-irlandaises et durant la guerre civile. Michael Collins, commandant en chef des forces du gouvernement irlandais, était originaire de Cork et la ville fut aussi saccagée par les Black and Tans, un infâme régiment de l'armée britannique. En mars 1920, ils assassinèrent le maire de Cork, Thomas MacCurtain, tandis que son successeur, Terence MacSwiney, emprisonné comme républicain, mourut après une grève de la faim dans la prison de Brixton, à Londres, en octobre de la même année.

Le village de Cobh

Le joli port de **Cobh** est dominé par sa cathédrale, construite par Pugin selon les canons gothiques. Il s'agissait aussi du dernier port pour plusieurs lignes transatlantiques: des milliers d'immigrants irlandais s'embarquèrent à Cobh, le *Titanic* au triste destin y fit halte, de même que le *Lusitania*, qui fut torpillé au large des côtes irlandaises par les sous-marins allemands en 1915. Plusieurs victimes sont enterrées dans le cimetière de l'église. Cobh n'évoque toutefois pas que la tristesse, on y trouve une source thermale salutaire de l'époque victorienne, comme à Bath ou à Brighton en Angleterre; et un club nautique, le Cobh yacht club, fondé en 1720.

L'abbaye de Timoleague

Vers l'intérieur des terres, sur l'estuaire boueux de la rivière Agrideen, se trouve le petit village de **Timoleague**. Les ruines d'une **abbaye franciscaine** le dominent, abbaye fondée en 1312 par Donal Glas MacCarthy, un membre d'une des plus puissantes familles de la région et qui y est enterré. Quand dans les années 1500, le roi Henri VIII annonça la dissolution des monastères, les frères mineurs y retournèrent en 1604 afin d'effectuer plusieurs réparations. Lorsque l'armée anglaise revint en 1642, elle incendia l'abbaye, le village de Timoleague et tout fut abandonné. Il n'y a plus désormais que les restes d'une église, des édifices du monastère, un cimetière, de hautes croix, des tombes lézardées et de splendides perspectives.

En haut, *l'abbaye de Timoleague fondée en 1312 et abandonnée par la suite au dix-septième siècle,* en bas, *une vue splendide vers le sud de Healy Pass.*

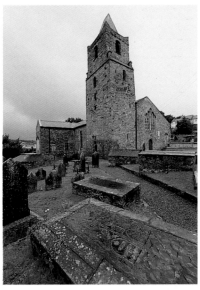

Kinsale

La baie de **Kinsale** est bien protégée par une langue de terre qui encercle le port vers l'ouest. Derrière cet isthme de terre, la ville de Kinsale s'élève avec ses rues étroites et domine le port qui bourdonne d'activités. Ce port naturel et méridional joua un rôle d'importance stratégique dans l'histoire troublée de l'Irlande. Il fut le site de la désastreuse bataille de Kinsale, en 1601, qui mit fin à la puissance des Lords gaéliques et fut à l'origine de la "fuite des comtes", lorsque ceux-ci fuirent vers le continent, abandonnant leurs terres aux Anglais. De nos jours Kinsale est mieux connue pour ses belles maisons aux toits en faîtière, ses excellents restaurants et sa jolie marina.

L'église Saint-Multose

Elle est construite sur le lieu où jadis s'élevait un monastère fondé par saint Multose, dont on peut voir la statue au-dessus du portail ouest de l'église. Celle-ci remonte au douzième siècle. Le clocher inhabituel et le portail roman sont parvenus jusqu'à nous. Le **chœur** fut ajouté en 1560, et il y eut des additions successives jusqu'au dix-neuvième siècle.

L'ancienne Cour de Justice

Lorsque le bateau de ligne *Lusitania* fut torpillé par un sous-marin allemand au large de Kinsale en 1915, 1198 personnes trouvèrent la mort. Que le bateau ait été plein de poudre, comme le soutenaient les Allemands, ou qu'il n'y eut à bord que de pauvres passagers, comme le disaient les Américains, l'événement suffit à l'entrée en guerre des Etats-Unis lors du premier conflit mondial. L'enquête se tint dans **l'ancienne Cour de Justice** qui est à présent un monument à la mémoire de cet événement.

En haut, de gauche à droite, l'église Saint-Multose construite au douzième siècle avec son singulier clocher, et la vieille cour de justice qui commémore les victimes du Lusitania. Au centre et en bas, les ruelles pavées de Kinsale, d'excellents restaurants et pubs attirent les Irlandais et les bonnes fourchettes, en particulier durant le Festival des gourmets au début octobre.

Ci-dessus, *cercle de monolithes dans l'un des sites les mieux préservés, en bas, tout près se trouve une halte de chasse avec les restes d'une cabane et d'un foyer.*

Le cercle de monolithes de Drombeg

Lorsque le cercle de monolithes de **Drombeg** fut mis à jour, les cendres d'un corps humain furent trouvées dans une urne située au centre des dix-sept pierres, ce qui fit penser que le cercle devait avoir quelque fonction rituelle. Le monolithe situé le plus à l'ouest est couché avec, gravé, ce qui semble être un pied humain ou bien encore une coupe. On croit que le cercle remonte au deuxième siècle de notre ère et est l'un des nombreux autres qu'on trouve en Irlande, relique de l'homme du néolithique. Il y a plusieurs théories qui gravitent autour des cercles de monolithes: il s'agirait d'observatoires préhistoriques afin d'étudier les mouvements du ciel, ou encore de sites de rites religieux. Tout près de là, les restes d'une vieille halte de chasse sont conservés; on y trouve les restes d'une cabane et d'un foyer.

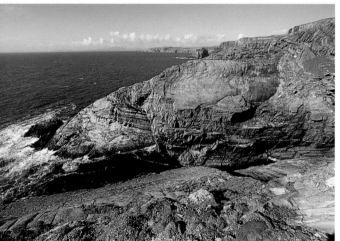

En haut, *un pont suspendu unit le phare de Mizen Head à la terre ferme, au centre, la péninsule se détache de l'océan Atlantique, en bas, la large étendue de la baie de Barleycove.*

Mizen Head

La longue péninsule méridionale qui fait une saillie dans l'Atlantique, au-dessus de la **baie de Roaring Water**, dans le comté de Cork, est **Mizen Head**. Les caps qui surgissent violemment des eaux rendent cette région périlleuse à la navigation, et plusieurs navires ont fait naufrage, au nord, dans la **baie de Dunlough**. Un phare avertit le trafic maritime du danger à partir d'une île qui est reliée à la terre par un pont suspendu. Le paysage environnant est sauvage et désertique, riche en cimetières préhistoriques, forteresses et châteaux médiévaux. A Mizen Head se trouvent les ruines du **château de Three Heads**, l'un des douze châteaux construits le long de la péninsule au quinzième siècle par le clan O'Mahoney. Au sud, les charmants villages de **Schull** et de **Ballydehob** accueillent des artistes, des joailliers, tisserands, écrivains qui se sont laissés séduire par la beauté des paysages, l'allure décontractée des résidents et qui s'y sont installés.

Barleycove Beach

Cette merveilleuse étendue de sable repliée derrière **Mizen Head** est balayée par le Gulf Stream, si bien qu'elle possède les eaux les plus chaudes d'Irlande ce qui en fait, avec ses vagues atlantiques, un lieu aimé des surfeurs.

En haut, *Bantry House, construite en 1720 et agrandie au fil des siècles*, au centre, *la salle à manger royale, tout en bleu, avec des toiles d'Allan Ramsey*, en bas, *la Gobelin Room qui contiendrait un panneau ayant appartenu à Louis-Philippe, Duc d'Orléans.*

Bantry House

Nulle autre maison de campagne sinon **Bantry House** n'offre une vue aussi spectaculaire. Située au bout d'une anse étroite dominant les eaux de la baie de Bantry, elle s'ouvre vers l'**île de Whiddy** et les majestueux **monts Caha**. Cette maison originale à trois corps fut construite en 1720, mais achetée en 1746 par Richard White, un fermier de l'île de Whiddy qui avait fait fortune, probablement dans la contrebande. Il acheta aussi une grande partie des terres de la péninsule de Beare. Son arrière-petit-fils, un autre Richard White, fut anobli pour être resté fidèle à la couronne britannique lorsqu'une flotte française accosta dans la baie de Bantry en 1796, afin de joindre les hommes de l'Union Irlandaise. Il ajouta à la maison deux corps, des arches et six baies vitrées qui s'ouvrent sur la mer. Mais ce fut un autre comte, un voyageur et un connaisseur d'art celui-là, qui accumula les extraordinaires trésors que la maison possède aujourd'hui: tapisseries inestimables, Gobelins et Aubussons, peintures et meubles. Il fut contraint d'agrandir la maison pour qu'elle puisse contenir sa collection. Les splendides jardins en terrasse qui fleurissent derrière la maison, au-dessus de la colline, ont été refaits il y a peu de temps.

En haut, de gauche à droite, *les jardins exotiques de Garnish Island où le climat subtropical est la conséquence du Gulf Stream, en bas, l'un des innombrables phoques que l'on peut trouver prenant le soleil sur les galets de la baie de Bantry.*

Garnish Island

Juste en face de **Glengariff**, dans la **baie de Bantry**, se trouve une petite île nommée **Garnish**. Jusqu'en 1910, il ne s'agissait que d'une petite saillie rocheuse comme les autres collines de la contrée. John Allan Bryce, son propriétaire, importa la terre arable et développa ces jardins étonnants, miracle de luxuriance dans une région dénudée et rocheuse. On y trouve un **jardin à l'italienne**, dessiné par Harold Peto, un **temple grec**, qui domine la mer, une **tour Martello** ainsi qu'un **beffroi**. C'est ici que le dramaturge et prix Nobel George Bernard Shaw écrivit *St Joan*. Les enfants de Bryce firent don de l'île à la nation.

Seal Island

Les passeurs qui amènent les visiteurs à **Garnish Island** oublient rarement de faire un saut sur les îles rocheuses où les phoques aiment tant s'étendre et profiter du beau temps. Peut-être que les eaux plus chaudes que le Gulf Stream porte avec lui dans la baie de Bantry sont à la source du plaisir qu'éprouvent ces animaux à cet endroit.

KERRY

Dans le **Kerry**, rien n'est bien loin de l'eau, que ce soit celle de l'océan Atlantique qui baigne plusieurs péninsules montagneuses du Kerry, ou bien celle des nombreux lacs autour de **Killarney**. On trouve ici un panorama extraordinaire avec la plus haute montagne d'Irlande, **Carrauntoohil**, se détachant du **MacGillycuddy Reeks**, et contrastant avec les doux paysages de lac de ces îles. L'isolement dans lequel se trouve Kerry est peut-être la cause de la vivacité de la culture irlandaise dans cette région: vous pourrez entendre, dans les pubs, de la musique folklorique et, peut-être, vous laisser entraîner dans une danse à l'irlandaise; vous entendrez parler l'irlandais dans l'une des régions du *Gaeltacht,* le long de la péninsule de **Dingle** et pourrez observer les dentellières et leurs ouvrages.

Les religieuses dans un couvent du village Kenmare perfectionnèrent l'art unique de la dentelle, que l'on peut trouver maintenant dans plusieurs boutiques d'artisanat.

Kenmare

La petite ville de pêcheur de **Kenmare** est, contre toute attente, très cosmopolite, pleine de touristes et de résidents étrangers. Cependant, au beau milieu des boutiques d'alimentation naturelle et de souvenirs, des restaurants coûteux et des épiceries fines, sa propre culture est bien vivante. Les métiers traditionnels, comme la dentelle, inventée par les religieuses dans le couvent du lieu, et dont l'art s'est perfectionné au point de demander des prix exorbitants, remplissent les demandes touristiques. Le jour du marché reste encore ici le jour le plus important du mois. Les fermiers locaux y conduisent leurs bestiaux, marchandent longuement, à haute voix, et concluent la vente en se crachant dans la main droite pour serrer ensuite celle de l'acheteur.

Sir William Petty, l'administrateur général d'Olivier Cromwell, fonda la ville en 1640 afin de desservir sa fonderie près de la rivière Finnihy. Le fer était fondu avec du charbon, si bien que les forêts de cette région ont été dévastées. Ce fut cependant le premier Marquis de Lansdowne, le propriétaire terrien local, qui décida du plan de la ville en 1775, lui donnant une forme en X.

Le jour du marché, les fermiers locaux s'assemblent pour bavarder et conclure des affaires.

Les merveilleux lacs de Killarney attirent les touristes depuis au moins 1756, lorsque Lord Kenmare ouvrit quatre grandes voies afin d'encourager l'afflux des visiteurs. En bas, Moll's Gap où des siècles d'érosion glacière ont émoussé de gros blocs de pierre.

Les lacs de Killarney

Toute la beauté du paysage de cette partie de l'Irlande est due aux glaciers de la dernière époque glacière, il y a de cela plus d'un million d'années. Une plaque de glace allait du sud vers le centre, une autre allait au nord à partir de **Bantry** et une autre encore passait par **MacGillycuddy Reeks** et les montagnes autour de **Killarney**. Il y a vingt mille ans, lorsque la glace se retira, les trois lacs profonds et spectaculaires de Killarney apparurent. Le **lac supérieur** fut littéralement creusé tandis que les **lacs moyen et inférieur** doivent leur formation aux couches de calcaire qui suivirent la fonte des glaces. Ailleurs, les glaciers laissèrent derrière eux des débris, à **Gap of Dunloe** et à l'est de **Lough Currane,** transportant pierres et rochers jusqu'à **Moll's Gap**. De nos jours, les montagnes sont recouvertes de bruyères violettes et un quart de toutes les plantes rares d'Irlande y poussent. De mai à juillet, les flancs des coteaux ainsi que les secteurs plus humides se couvrent de plusieurs plantes méditerranéennes et lusitaniennes comme les pinguicoles et les saxifrages, alors que de juillet à août apparaissent les oddities américaines, de même que de singulières herbes bleutées.

En haut, *les chalutiers du port de Dingle servent autant à la pêche qu'à permettre aux touristes d'admirer les paysages. En haut, à droite, le village de Dingle est plein de maisons multicolores, de pubs animés et de bons restaurants. En bas, Slea Head, à la pointe de la péninsule de Dingle, s'avance vers les îles Blasket, inhabitées depuis 1953.*

Le village de Dingle

Dingle était autrefois le port le plus achalandé du Kerry et les bateaux de pêche occupent encore son port. Certains emmènent les touristes voir la plus récente attraction de Dingle, un gentil dauphin nommé *Fungi* qui aime sortir de l'eau pour rencontrer les visiteurs. Tout autour de la péninsule, on trouve d'anciens sites d'habitation, des monastères, des croix celtiques et d'autres ruines, tandis que la pauvreté et les diverses privations des habitants et des insulaires des **îles Blasket**, juste au-delà de **Slea Head**, au début de ce siècle, sont bien décrites dans le livre de Thomas O'Crohan, *The Islandman*, ainsi que dans les terribles mémoires de Peig Sayers, une insulaire. Les îles furent abandonnées en 1953.

Dingle est, dans son ensemble, une *Gaeltacht*, c'est-à-dire une zone linguistique irlandaise où la langue traditionnelle est bien vivante. Avec la langue, la musique et la danse irlandaises y prospèrent et on peut les entendre ou les voir, chaque soir de la semaine dans les pubs.

En haut, *Inch beach, une pointe de sable de cinq kilomètres bordée de dunes. En bas, Conor Pass s'élève à 305 mètres au-dessus de Dingle, dans la partie nord de la péninsule.*

Inch

Inch est une barre de sable de cinq kilomètres de longueur, longée par des dunes, et qui s'étend à peu près à mi-chemin dans la partie haute de la **baie de Dingle**. Les dunes, exposées et constamment balayées par les vents, forment un milieu propice à la prolifération de plantes rares qui doivent s'adapter aux conditions du lieu pour survivre. Certaines ne déploient leurs feuilles qu'à la pluie venue, d'autres mettent treize ans à fleurir et à germer de nouveau.

L'oyat, avec ses racines profondes, contribue à tenir les dunes les unes contre les autres, tandis que le houx marin, avec ses grosses feuilles épineuses et ses fleurs aux teintes bleues, attirent les papillons. On peut aussi observer dans ces parages le trèfle pied-de-poule, le trèfle, les pensées maritimes, la vesce ainsi que la "lady's tresses", sorte d'orchidée très rare et en voie d'extinction. On y trouve aussi de nombreux oiseaux comme le pluvier rayé qui vient pour manger les sauterelles des sables.

Conor Pass

Conor Pass serpente autour de la ville de **Dingle** vers la partie nord de la péninsule le long d'une route de falaise qui court, à 305 mètres d'altitude, entre Brandon Mountain et Stradbally Mountain, offrant ainsi des vues imprenables sur toute la région.

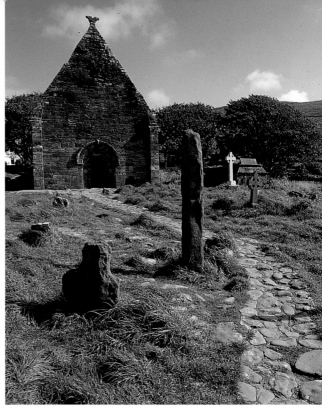

L'église de Kilmalkedar

Il s'agit d'une magnifique église romane construite sur le lieu où s'élevait jadis l'église de saint-Mael-Cathair, un petit-fils du roi de l'Ulster, probablement missionnaire dans le Kerry, et qui mourut ici en 636. L'**église** possède un toit en corbeau, influence peut-être de la **chapelle de Cormac** sur le **rocher de Cashel**, et consiste en une **nef** et un **chœur**. A l'intérieur, une **pierre** sur laquelle se trouvent des caractères latins. La **fenêtre est,** est connue comme "cró na snáthaide" ou "trou de l'aiguille" et les pèlerins étaient supposés passer à travers elle pour trouver leur salut. Cette pierre était célèbre pour ses propriétés curatives, et on s'y fia jusqu'en 1970. Dans le cimetière, on trouve un **gnomon** sculpté, tandis qu'à côté se trouve **St Brendan's House**, probablement un presbytère.

Le fort de Dunbeg

La majeure partie du promontoire/**fort** construit au huitième ou au neuvième siècle est désormais tombée dans l'océan. Quatre batteries défensives entourent un mur de pierre auquel on accède par une entrée au rez-de-chaussée. On trouve, à l'intérieur, les restes d'une **maison**, une **hutte en forme de ruche,** ainsi qu'un **souterrain** qui conduit à l'extérieur des lignes défensives.

L'oratoire Gallarus

De la vingtaine d'oratoires en Irlande, il s'agit sûrement du meilleur exemple du genre. On croit que l'**oratoire Gallarus** fut construit entre le neuvième et le dixième siècles. Il témoigne de la transition entre les huttes en forme de ruche, comme à **Dunbeg**, et les plans rectangulaires d'églises que l'on retrouve plus tard.

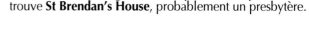

LIMERICK

La ville de Limerick garde la tête de l'estuaire Shannon avec le magnifique **château du roi Jean**, construit au treizième siècle. Fondée par les Vikings, Limerick tomba entre les mains des Irlandais sous le règne du roi suprême Brian Boru, au dixième siècle, et devint le quartier général du clan O'Brien. Les Normands vinrent ensuite pour fortifier la ville, et une paix relative régna jusqu'à ce que les forces d'Oliver Cromwell ne prirent le château en 1651. Quarante ans plus tard, lorsque le roi catholique Jacques II fut défait durant la bataille décisive de Boyne en 1690, la plupart de ses partisans se rendirent. Limerick continua cependant la lutte aux côtés du héros irlandais Patrick Sarsfield. Un an plus tard, la ville tomba et l'infâme traité de Limerick fut signé, lequel n'accordait aux catholiques que des droits très limités. Selon la légende, les Anglais rompirent l'accord "avant même que l'encre ne séchât" et promulguèrent des lois anticatholiques d'une extrême sévérité. Depuis lors, Limerick possède la réputation d'être une ville fortement nationaliste.

Le château du roi Jean

Complété en 1202, ce château pentagonal était renforcé par quatre tours robustes qui furent remplacées par un bastion en 1611. On y trouve un **Centre d'interprétation** de l'histoire de Limerick.

Lough Gur

Autour du littoral en forme de fer à cheval de **Lough Gur**, on a découvert plusieurs monolithes ainsi que des anneaux de forteresses et des huttes, un magnifique bouclier de bronze ciselé datant du septième siècle avant notre ère et une galerie de tombeaux. Mais ce sont les gros **monolithes** rangés en un cercle presque parfait qui restent les plus spectaculaires. On sait peu de choses quant à leur usage, bien qu'il ait été certainement rituel.

Adare

Jusqu'au début du dix-neuvième siècle, le village d'**Adare** était presque un quartier pauvre. C'est alors que le troisième comte de Dunraven, qui était le seigneur d'Andare Manor, maintenant un hôtel, initia toutes sortes d'améliorations rurales dont, entre autres, l'organisation des rues avec des chaumières pittoresques qui existent encore de nos jours.

Page précédente, en haut, à gauche, vue de Slea Head de l'île Great Blasket, en haut à droite, l'église de Kilmalkedar où l'on trouve une magnifique pierre gravée et qui avait autrefois un toit en corbeau, au centre, le fort promontoire de Dunbeg avec quatre batteries défensives entourant son mur de pierre, en bas, l'oratoire Gallarus, l'exemple le mieux conservé de ces constructions de pierre.

Cette page: le château du roi Jean construit par les Normands en 1202, sentinelle gardant le Shannon. Au centre, le grand cercle mégalithique remontant à l'âge de la pierre, près de Lough Gur. En bas, de gracieux cottages au toit de chaume dans le village d'Adare.

CENTRE-OUEST DE L'IRLANDE

CLARE

Le sol stérile et calcaire de **Burren** dans le nord du comté de **Clare** attire de nombreux botanistes, bien qu'il y ait plusieurs autres choses étonnantes: les spectaculaires **caps de Moher**, les belles plages dorées de **Fanore Ballyvaughan** ou de **Lahinch** et, surtout, on y peut entendre la meilleure musique folklorique du pays dans des villages tels **Doolin** et **Milltown Malbay**.

Le château de Bunratty

Construit en 1460 par le clan MacNamara, le **château de Bunratty** s'élève sur ce qui était autrefois une île de la berge nord de la rivière Shannon. Comme plusieurs édifices fortifiés d'Irlande, les Vikings et les Normands avaient déjà élevé des structures défensives sur ce site: les douves vikings sont encore visibles, tandis que les Normands construisirent le premier château de l'île. Rénovée il y a peu de temps, la puissante structure rectangulaire abrite une collection de meubles, de tapisseries et de peintures allant du quatorzième au dix-septième siècle. Le château est maintenant utilisé lors de banquets médiévaux et est entouré du **Bunratty Folk Park**, reconstitution d'un village du dix-neuvième siècle.

Les caps de Moher

Ces caps spectaculaires de schiste et de grès courent sur huit kilomètres et culminent à 200 mètres au-dessus du niveau de la mer. Les coups constants de l'Atlantique ont érodé la pierre tendre; ici et là, sortent en saillies des pierres plus dures.

Cette page, en haut, *le château de Bunratty sur la rivière Shannon*, en bas, à gauche, *le Grand Hall*, en bas, à droite, *la chapelle privée*.

Page suivante, *les caps accidentés de Moher au nord du Clare*.

Cette page, en haut, *le dolmen de Poulnabrone se dresse au centre d'une région calcaire nommée le Burren.*

Page suivante, la zone nord-ouest du Clare avec ses plages magnifiques et le village de Ballyvaughan où les touristes peuvent louer un cottage traditionnel. Au centre, Lisdoonvarna et ses innombrables pubs tels que le Matchmaker Bar *(Bar des Marieurs) où chaque septembre les célibataires prennent part au festival des marieurs, ou encore l'O'Connor à Doolin* (en bas) *célèbre pour la musique traditionnelle qui y est jouée tous les soirs.*

Burren

Le **Burren** est une région de 260 kilomètres carrés de calcaire poreux sous la mer et ramené à la surface par les mouvements de la croûte terrestre et les fissures provoquées par les glaciers. Ce paysage extraordinaire, morne et stérile durant les mois d'hiver mais d'une lumière éblouissante sous le soleil d'été, accueille, si l'on observe attentivement, une végétation saine et une vie animale généreuse.

L'eau de pluie glisse sur les pierres poreuses pour creuser sous le sol des grottes et des tunnels, tandis que des lacs temporaires, que l'on nomme *turloughs*, apparaissent après chaque ondée, disparaissant dans le système d'eau souterraine qui les absorbe.

La surface du calcaire érodée a formé des cannelures et des poches connues sous le nom de *clints* (sorte de saillie de la pierre) et de *grykes* (fissures dans les clints). Hors de ces abris sculptés, nourris par la nappe phréatique, prospère une flore abondante et rare, pour ne citer que quelques exemples les gentianes printanières et

les orchidées, que l'on retrouve généralement en Méditerranée, dans les régions alpines ou arctiques, et qui est particulièrement impressionnante entre avril et mai, de même que certaines espèces d'orchidées et de fougères qu'on ne trouve nulle part ailleurs. C'est le paradis des botanistes. La survie de ces variétés méditerranéennes à cette latitude est encore un mystère; peut-être est-ce le calcaire qui absorbe la chaleur durant l'été, conférant à cette région un climat plus clément durant l'hiver, ou bien est-ce encore l'effet du Gulf Stream qui apporte de la mer un vent doux et humide.

Le dolmen de Poulnabrone

En équilibre sur le paysage étrange du **Burren** au nord-ouest du Clare, se dresse ce dolmen à la grâce inhabituelle et qui remonte, croit-on, à 2500 ans avant notre ère. Des fouilles en 1986, ont mis à jour les ossements de quatorze adultes et six pièces, des tessons de poterie et des artefacts en pierre.

Ballyvaughan

Sur la rive nord du **Burren** et devant la **baie de Galway** se trouve, au bord de la mer, le village de **Ballyvaughan** très connu des touristes et de ceux qui explorent la zone calcaire caractéristique de la région. On trouve ici des exemples de cottages irlandais traditionnels, d'un étage, blanchis à la chaux et aux fenêtres étroites qui protègent les habitants des vents de l'Atlantique.

Lisdoonvarna

Chaque septembre **Lisdoonvarna** est le lieu du festival des marieurs. Jusqu'en 1950, il n'y a pas si longtemps, les fermiers venaient en ville après le temps des récoltes pour se reposer, se distraire et chercher à se marier. Ainsi, dans un passé encore récent, arranger des mariages avec le marieur qui présentait les couples et négociait la dot était une chose commune encore dans les régions rurales. La tradition a depuis lors un peu changé, mais Lisdoonvarna, en septembre, est encore pleine de fermiers nerveux et de jeunes filles timides qui espèrent rencontrer l'âme sœur. Le festival s'est construit sur la réputation de la ville comme station thermale, ses eaux sont riches en minéraux et vous pouvez toujours y prendre des bains d'eau sulfureuse, boire à la source, prendre un sauna ou vous faire masser.

Doolin

Doolin doit sa réputation au fait qu'elle est la patrie de la musique irlandaise. Durant l'été, ses pubs sont pleins de musiciens et de chanteurs qui jouent de façon informelle dans des séances qu'ils nomment "sessions". Celui qui jouera et ce qu'y s'y jouera dépend de la soirée, de l'atmosphère et de la foule.

Pour un étranger, la session semble chaotique mais en fait, il y a des règles et des civilités; les musiciens étrangers doivent attendre d'être invités avant d'y prendre part. La bonne partie de musique instrumentale est pour la danse et, lors d'une bonne session, il peut être impossible de rester assis.

Doolin Peer

Le rivage de **Doolin**, dénudé et balayé par les vents, voit ses plaques de calcaire tomber dans la mer. De son embarcadère, les bateaux partent pour les trois **îles Aran**, où l'irlandais est encore une langue vivante.

Les grottes d'Aillwee

Les stalagmites et les stalactites des **grottes d'Aillwee**, dans le **Burren**, projettent des ombres puissantes dans les lumières souterraines. Ceux-ci, mais aussi les étonnantes formations rocheuses des séries de cavernes, sont le résultat du suintement incessant de l'eau à travers le calcaire poreux du sol du Burren.

Page suivante, *les spectaculaires cavernes de stalagmites et de stalactites dans les grottes d'Aillwee.*

Cette page, *à Doolin, sur la côte nord-ouest du Clare, les vagues de l'Atlantique se déchaînent sur la rive inhospitalière,* en haut, *tandis que le sol calcaire du Burren,* en bas, *finit abruptement au bord de la mer.*

La province occidentale du **Connacht** compte cette ville enjouée qu'est **Galway** et un arrière-pays marécageux s'étendant jusqu'au **Mayo**. On y trouve les basses terres de **Roscommon** et la sauvage beauté de **Sligo**, le pays de Yeats, tout le long de la région des lacs de **Leitrim**.

GALWAY

Galway est une ville pleine de charme. Elle est la capitale du *Gaeltacht*, ou région de langue irlandaise, mais c'est également un centre industriel prospère, un centre d'échanges et un point de rencontre fondamental pour les arts: le théâtre, le cinéma sont bien vivants et plusieurs artistes viennent de cette région. Récemment, la ville a connu un boom de la population attirée par de bonnes perspectives d'emploi, au point de faire de Galway la ville d'Europe ayant le plus haut taux de croissance. Mais c'est aussi sa réputation comme ville alternative en Irlande qui fait que ses rues sont pleines de musiciens ambulants, de cracheurs de feu, de vendeurs de bijoux et d'artisans qui installent leurs stands pour vendre ensuite leur marchandise. La plus grande partie de la ville est pleine de jeunes gens qui étudient à l'université, bien que ce soit surtout durant l'été, période où se déroulent le Galway Arts Festival et les courses, que les places grouillent d'activités.

La position de Galway, à l'embouchure de la rivière du même nom, et comme point de croisement avec la rivière Corrib, fit de la ville un important lieu d'échange dès sa fondation. Au treizième siècle, la famille anglo-normande de Burgos prit la ville qui devint une puissante colonie normande dirigée par un groupe restreint de quatorze familles, ce qui lui valut le nom de "Cité des Tribus". Tandis que la plus grande partie de l'Irlande était en rébellion contre la couronne britannique, Galway, pour sa part, resta loyale. La ville continua à prospérer et entretint un commerce important avec la France, l'Espagne et le Portugal. Sa loyauté à la couronne fut toutefois cause de sa chute lorsque Cromwell parvint au pouvoir et que ses forces assiégèrent la ville durant neuf jours en 1652. La famine de 1840 frappa

Page précédente, en haut, le château de Lynch appartenait à l'une des quatorze tribus qui dirigèrent la ville durant plusieurs siècles. En bas, à gauche et à droite, détails des armoiries gravées dans la pierre sur les murs extérieurs du château.

Cette page, en haut, à gauche, le portail Browne à Eyre Square est tout ce qui reste de la maison d'un riche marchand de Galway, à droite, en haut, l'arcade espagnole près du port, à droite, en bas, rangée de maisons dominant le mur du port, en face de l'ancien district de Claddagh de l'autre côté de la rivière.

durement, en particulier l'ouest de l'Irlande, si bien que la ville de Galway ne se rétablit de la crise économique et du déclin de la population que dans le cours de ce siècle.

Le château de Lynch

La maison-tour élevée au seizième siècle au coin de la très achalandée **Shop Street**, appartenait aux Lynch, une des plus puissantes familles du district. On y trouve aujourd'hui une banque. A l'extérieur, on peut voir des gargouilles irlandaises et les armes d'Henry VII ainsi que celles des Fitzgerald de Kildare.

Le portail Browne

Les échanges avec le continent firent autrefois de Galway la ville la plus prospère d'Irlande et les souvenirs de cette époque sont visibles dans les jolies maisons citadines et les châteaux qui nous sont parvenus.
Le **portail Browne**, au nord de **Eyre Square**, est un vestige datant de 1627 et qui représente les armes de deux familles très puissantes de Galway, les Lynch et les Browne.

L'arcade espagnole

En bas, près du port, l'**arcade espagnole**, construite au seizième siècle, a donné lieu à plusieurs histoires fantaisistes, mais il s'agissait plutôt d'une construction destinée à protéger les galions lorsqu'ils déchargeaient leurs précieuses cargaisons de rhum et de vin. L'arcade est liée à l'un des murs médiévaux les plus originaux de la ville.

La longue promenade

A travers l'arcade espagnole un chemin court le long de l'embouchure de la rivière quand elle se jette dans la mer. On peut y nourrir les cygnes et y voir les "Galway Hookers", ces bateaux de pêche typiques de la région avec leurs voiles particulières de couleur rouille. Du côté le plus éloigné de la rivière, le quartier de pêcheurs nommé Claddagh, a très largement disparu derrière les constructions modernes, et des habitations datant des années 30 ont remplacé les chaumières. Autrefois, cette région avait son propre roi, un costume typique et l'on y parlait irlandais. Il ne reste plus que le nom et le célèbre anneau de Claddagh, l'alliance qu'utilise les gens de la région, et dont l'origine remonte aussi loin que 1784.

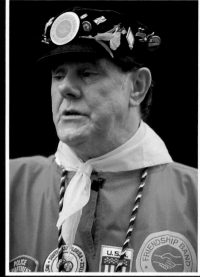

Le Festival international des huîtres de Galway

Durant une bonne partie du mois de Septembre, Galway se consacre à la reine des fruits de mer: l'huître de la baie de Galway. La ville est pleine de groupes musicaux, de danseurs irlandais, de vendeurs et de mangeurs d'huîtres qui les consomment à la mode irlandaise, avec une pinte de Guinness crémeuse. Mais avant tout c'est l'heure du "*craic*", le mot irlandais pour dire "prendre du bon temps".

La Foire d'octobre de Ballinasloe

L'ancienne foire qui se tient la première semaine d'octobre est une foire de chevaux. Les marchands viennent de toute l'Irlande et de l'Angleterre pour acheter et vendre; les échanges constituent un jeu sérieux qui doit prendre du temps et que l'on fait préférablement devant une audience capable d'apprécier la qualité et l'habileté des participants.

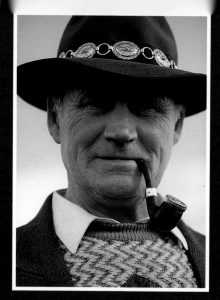

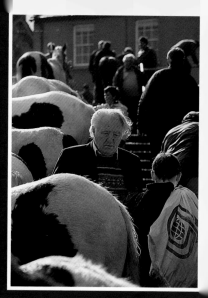

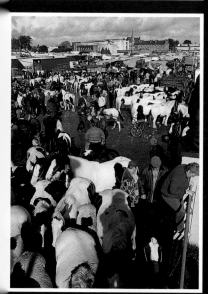

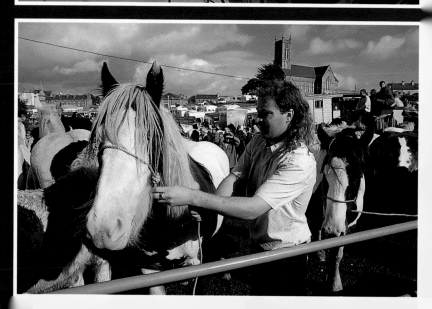

En haut, *le profil néogothique de l'abbaye de Kylemore et, en bas, une courte promenade à travers un chemin boisé conduit à l'église conventuelle.*

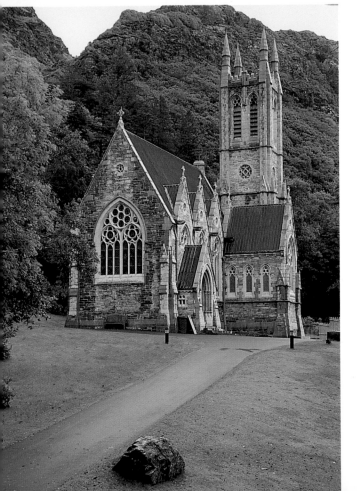

Clifden

Cela peut surprendre que le petit village de **Clifden** soit la capitale du **Connemara**, cette région magnifique mais aux limites mal définies à l'ouest et au nord de Galway. Derrière **Clifden**, s'élèvent les monts **Twelve Bens** tandis que, devant lui, la **rivière Owenglin** rejoint la mer par son vaste estuaire. La majeure partie du Connemara est un parc national protégé, et les kilomètres de marécages asséchés au brun délicat, troublés par quelques lacs ou percés par les monts du **Maam Turk** et Twelve Bens, sont virtuellement encore vierges.

L'abbaye de Kylemore

A peine à l'est de Letterfrack, dans le Connemara, se trouve l'**abbaye de Kylemore**, un "château" du dix-neuvième siècle construit par un marchand de Liverpool et dont les tours et les créneaux jettent des ombres fantastiques sur Pollacappul Lough. Un couvent de bénédictines s'y établit après la Première Guerre mondiale et y ouvrit une école. Il s'agit d'un îlot de verdure inattendu, une vallée luxuriante où les talus recouverts de rhododendrons et une forêt touffue conduisent jusqu'à l'église conventuelle, copie en miniature de la cathédrale de Norwich.

Lough Corrib

Cette grande île criblée de lacs divise le comté de Galway en deux, nord et sud. On y trouve des terres fertiles et cultivées, tandis que la côte ouest abrite la région sauvage du Connemara, dont la beauté farouche et étudiée ne semble être que roche et eau. Il y a 365 îles à **Lough Corrib**, l'une d'elles, connue sous le nom de **Inchagoill**, accueille le plus ancien monument chrétien et des catacombes romaines.

Le château de Dunguaire

Situé sur une étroite bande de terre s'avançant dans la **baie de Kinvarra**, le **château de Dun Guaire** est, de nos jours, une maison-tour fortifiée construite au seizième siècle. Le château doit son nom à Guaire Aidhneach, roi du Connacht au septième siècle, et qui avait sa résidence royale en ce lieu. L'hospitalité de Guaire était étonnante. Un barde décrit comment 350 invités avec 350 serviteurs, et leurs chiens, furent entretenus souverainement durant six mois. A présent, la tradition se poursuit avec la Shannon Developpement Company qui donne des banquets médiévaux dans la tour rénovée.

L'abbaye de Ross Errilly

L'**abbaye de Ross Errilly** sur les rives de **Lough Corrib** et l'une des abbayes les mieux conservées et accomplies des monastères franciscains. Fondée en 1351, la plus grande partie de l'édifice remonte au quinzième siècle et il est facile d'imaginer l'allure qu'elle devait avoir autrefois. L'**église** avec son **clocher** à créneaux et ses fenêtres bien préservées est un bon exemple du style "cross-section" en vogue au quinzième siècle. Il y a deux ensembles de **cloîtres**, un en arcade avec la **boulangerie** derrière, tandis que la **cuisine** se trouve à l'angle nord-ouest du bâtiment et possède un aquarium ainsi qu'un four qui fait une saillie dans le **moulin** derrière.

En haut, Lough Corrib est composée de plusieurs îles, au centre, le château de Dunguaire est un excellent exemple d'une maison-tour fortifiée, en bas, l'abbaye de Ross Errilly, la plus grande abbaye franciscaine d'Irlande.

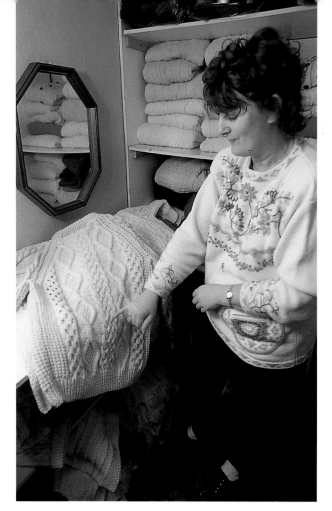

ILES ARAN

Au bout de la **baie de Galway**, à quelques kilomètres en bateau de **Doolin** ou de **Carraroe**, se trouvent trois saillies rocheuses, **Inishmore**, l'île la plus grande et la plus visitée, **Inishmaan**, intacte et **Inisheer**, la plus petite des trois.

Inishmore

Sur toutes les îles Aran, on parle le gaélique et plusieurs jeunes irlandais y passent leurs vacances d'été afin d'améliorer leur accent et avoir l'expérience de la vie dans une communauté *Gaeltacht*. **Inishmore** est la plus grande des îles et est pleine de touristes pendant l'été. Malgré tout, il reste facile de s'évader et d'explorer à pied ou à bicyclette ses sept **églises** anciennes car Inishmore est le lieu où se trouve le premier et le plus important **monastère** d'Irlande.

Cette île est une longue plaque de calcaire semblable aux formations du Burren dans le Clare, s'inclinant vers le haut, au sud-ouest, jusqu'à une altitude de 90 mètres. La plupart des villages sont toutefois regroupés le long de la douce côte nord-est de l'île.

Dun Aenghus

Ce massif **anneau fortifié** remonte quelque part entre 700 avant et 100 ans après notre ère. Perché sur une crête qui domine la mer de 60 mètres, on dirait qu'une partie de **Dun Aenghus** est prête à bondir. Trois cercles de défense en demi-lune constituent le fort, le plus profond ayant un chemin de garde, une chambre fortifiée et une entrée aplatie. Dans le secteur dominant le fort, on trouve le sol jalonné de milliers de pierres appelées chevaux-de-frise et qui servaient à décourager les éventuels assaillants de fort.

En haut, pull d'Aran, chaque famille possède un motif particulier, en bas, à gauche, Dun Aenghus domine à 60 mètres au-dessus de la mer, en bas, à droite, le port tranquille de Kilronan sur la côte nord de l'île.

NORD-OUEST DE L'IRLANDE

MAYO

Le comté du **Mayo** s'étend de l'île-aux-mille-lacs de **Lough Mask** et **Lough Corrib** au sud, jusqu'à la pointe nord-ouest de **Belmullet**, et de l'**île Achill** à l'ouest, jusqu'aux **Monts Ox** de **Sligo** et **Roscommon** à l'est. Près de **Westport**, une élégante ville géorgienne, et s'élevant vers le ciel, se trouve le lieu de pèlerinage de **Croagh Patrick**, le mont ainsi nommé en l'honneur de saint Patrick. Chaque année, des milliers de pèlerins montent pieds nus vers la chapelle qui se trouve à son sommet.
En 1798, le général français Humbert et un millier de soldats débarquèrent à **Kilcummin Strand** au nord du Mayo, prenant **Killala** et **Ballina**, et marchèrent, victorieux, pour prendre **Castlebar**. Ils furent défaits ensuite dans le comté de Longford et tous ceux qui furent soupçonnés de les avoir aidés ont été exécutés. La région de Mayo fut lourdement éprouvée par la grande famine des années 1845-49, et des milliers de personnes moururent ou immigrèrent en Amérique, dépeuplant ainsi le pays ou abandonnant les habitations, dont subsistent les ruines aujourd'hui encore.

En haut, *une jolie maison citadine à Cong,*
en bas, *les ruines de l'abbaye de Cong.*

L'abbaye de Cong

La ville de **Cong** se trouve près d'un isthme séparant **Lough Mask** de **Lough Corrib**. Fondée comme monastère par saint Feichin au septième siècle, Cong devint la ville des rois de Connacht. En 1128, Turlough Mór O'Connor, roi de Connacht, reconstruisit l'abbaye de Cong pour les augustiniens et son fils, Ruaidhrí O'Connor, le dernier roi suprême d'Irlande, y termina ses jours.

Il n'y a plus que le **chœur** de l'église qui subsiste avec quelques parties du côté est ainsi qu'une section des **cloîtres**, mais cette partie contient de magnifiques portes et des fenêtres sculptées dans la pierre.

Page suivante, en haut, la rivière Boyle coule doucement à travers la ville, au centre et en bas, vues du monastère cistercien de Boyle.

Cette page, à gauche, détails d'une fenêtre de l'abbaye de Cong, en bas, à gauche, restes du douzième siècle, porte romane et cloître, en bas, à droite, maintenant en ruines, l'abbaye fut construite pour l'ordre des augustiniens par Turlough Mór O'Connor, roi Suprême d'Irlande au douzième siècle.

ROSCOMMON

Cette longue bande de terre, bordée par la rivière Shannon sur son flanc, est le seul comté intérieur du Connacht. Au centre, se trouve la ville de **Roscommon** avec les jolies ruines anglo-normandes du **château de Roscommon**, à l'est la ville au plan géorgien de **Strokestown** avec, à la fin de son avenue principale, la **Strokestown House** et le **Famine Museum**.

Boyle

Cette ville agréable au nord de Roscommon s'étend le long de la **rivière Boyle**. Au centre de la ville, **King House**, construction récemment rénovée, est un beau manoir construit dans les années 1730 pour la famille King qui déménagea plus tard dans le très grand domaine de **Rockingham**, un peu à l'extérieur de Boyle. Rockingham fut détruit par un incendie dans les années 1950, et ses terres sont en partie maintenant incluses dans le parc **Lough Key Forest**. Boyle abrite aussi les ruines d'une ancienne abbaye cistercienne fondée par les moines de l'abbaye de Mellifont en 1161. Les ruines de la nef montrent clairement deux styles architecturaux différents. La **tour** carrée remonte au douzième siècles comme aussi deux portails du côté est. Les autres constructions sont du seizième et du dix-septième siècle, et les forces de Cromwell qui occupèrent le monastère en 1659 les endommagèrent sévèrement.

En haut, *le mont de Benbulben joue un rôle dans les légendes irlandaises et la poésie de W. B. Yeats, en bas, le cercle de monolithes de Carrowmore avec Knocknarea, le lieu où repose la reine Maeve, en arrière-plan,* à droite, *la haute croix de Drumcliff où le poète W. B. Yeats est enseveli.*

SLIGO

Il y a peu d'endroit en Irlande qui compte autant de sites mégalithiques au kilomètre carré que **Sligo** et ces anciens monuments, comme **Carrowkeel**, **Knocknarea** et **Carrowmore**, sont la source de nombreuses légendes. Le poète William Butler Yeats puisa son inspiration de l'étrangeté de ces paysages déserts comme le fit aussi son frère, le peintre Jack Yeats.

Benbulben

Ce paysage singulier s'élève à près de 610 mètres d'altitude pour former le grand plateau qui domine la campagne des kilomètres alentour. C'est ici que, selon la légende, mourut le beau Diarmuid qui s'était enfui pour se marier avec Gráinne. Le couple avait été pourchassé durant seize ans à travers l'Irlande par le vieux et vindicatif Finn mac Cumhaill, chef d'une bande de guerriers connue sous le nom de Fianna, et par celui qui devait épouser Gráinne. L'ayant débusqué à **Benbulben**, Finn parvint à abuser Diarmuid en l'induisant à combattre un sanglier enchanté. Diarmuid fut mortellement blessé et tomba au sol. Finn, qui possédait le pouvoir de guérison, refusa de l'exercer. Il coupa plutôt la tête de Diarmuid et l'envoya à Gráinne qui mourut en la voyant. Elle fut en-

suite portée dans les grottes de **Gleniff**, où elle repose à côté de Diarmuid.

Carrowmore

Carrowmore est le plus grand cimetière mégalithique d'Irlande. Il est surtout formé de tumulus funéraires ou de dolmens, mais à cause des exploitations de carrières, certaines pierres de parement ont été perdues ou déplacées.

Drumcliff

"Sous la tête nue de Ben Bulben" se trouve **Drumcliff** où repose le poète William Butler Yeats dans cette région du Sligo qu'il aimait tant, "contrée que le cœur désire". Bien qu'il grandit surtout à Dublin et à Londres, sa mère était originaire de la région et il y passa de longues périodes, errant dans la campagne, écoutant les histoires des pêcheurs et des paysans et visitant **Lissadell**, l'élégante maison géorgienne de la belle Constance Gore-Booth, qui devint plus tard la comtesse Markievicz, la révolutionnaire irlandaise et première femme député à Westminster. La poésie de Yeats est pleine de références à ces paysages, tandis que ses pièces *At the Hawk's Well* et *On Beltra Strand*, qui mettent en scène les mythes de Cúchulainn, situent ici leur action.

LEITRIM

Lough Allen divise le **comté de Leitrim** clairement en deux parties. Au sud de Lough Allen, le pays est davantage aquatique que terrien, avec des lacs et des rivières espacés par des dépôts laissés par la glaciation.

Carrick-on-Shannon

Jolie ville sur la rivière Shannon, **Carrick-on-Shannon** est tout entière tournée, il va de soi, vers le canotage. C'est ici que les bateaux de croisière débutent leur voyage sur la voie navigable **Shannon-Erne** faite de 385 kilomètres de canaux, de lacs et de rivières.

Le château de Parke

Sur les rives de l'autre lac du Leitrim, **Lough Gill**, s'élève la forteresse construite par Robert Parke au dix-septième siècle. Sa **cour** abrite les fondations d'une ancienne maison-tour d'un chef irlandais, Brian O'Rourke, exécuté pour avoir sauvé un naufragé de l'Armada espagnole. Les pierres de la maison O'Rourke ont été intégrées dans la construction du **château de Parke**.

A droite, Carrick-on-Shannon, une jolie ville qui se consacre au canotage, en bas, le château de Parke sur les rives du lac Lough Gill.

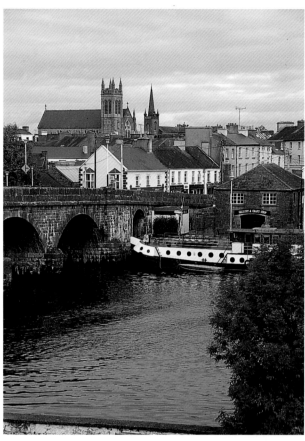

97

L'ancienne province de l'Ulster rassemble les vertes régions de lacs du **Fermanagh** et du **Cavan**, les tourbières sauvages du **Donegal**, l'ancienne ville de **Derry**, **Antrim** avec son étrange formation nommée **Giant's Causeway**, **Belfast**, capitale de l'Irlande du Nord, les Monts Mourne à **Down**, la ville religieuse d'**Armagh**, les collines roulantes du **Tyrone** et les petites collines du **Monaghan**.

FERMANAGH

Le **comté de Fermanagh**, dominé par le **Lough Erne**, qui forme un étranglement dans la ville d'**Enniskillen**, possède des îles boisées, jadis une chaîne de monastères, ainsi que des monuments chrétiens et celtiques.

Enniskillen

A un bout de la plus longue rue d'Enniskillen se trouve le château, anciennement la place forte des Maguire, et de l'autre, le parc victorien, **Fork Hill**, avec ses colonnes doriques. Le fort Maguire, pris par les Anglais en 1607, fut remodelé et baptisé **château d'Enniskillen**. Il a résisté aux attaques des Maguire, des forces jacobites et devint au dix-huitième siècle une caserne. On y trouve le **Heritage Centre** (Centre du patrimoine) et le **Regimental Museum**.

En haut, *Enniskillen, une ville garnison à l'étranglement de deux lacs*, en bas, à gauche, *le château d'Enniskillen construit selon le style écossais*, en bas, à droite, *une pierre de Janus datant de l'époque païenne, sur l'île de Boa.*

En haut, *le riant port de pêche de Killybegs,* au centre,
la grève de Trabane à Malin Beg, en bas, *la côte
inhospitalière de Bloody Foreland.*

L'île de Boa

Certaines des îles qui jaillissent de **Lough Erne** sont en
fait des *"crannógs"*, d'anciennes constructions élevées
afin de consentir l'attaque par voie maritime. Leur présence ici, jumelée aux nombreux sites païens et chrétiens, indique une colonisation précoce. Sur l'**île de Boa**,
dans le **cimetière de Caldragh** et circonscrit de pierres
tombales chrétiennes, un *Janus* sculpté remontant à
l'époque païenne s'élève au flanc du *"Lustybeg man"*, té-
moignant ainsi que, dans cette région isolée, les
croyances païennes ont vécu parallèlement aux
croyances chrétiennes.

DONEGAL

Comme les régions les plus éloignées du Kerry et de
l'ouest de l'Irlande, le **Donegal** conserve un fort attache-
ment à sa propre culture et propose l'une des plus élégantes musiques folkloriques de la région du *Gaeltacht*
autour de **Glencolmcille** et **Bunbeg**. C'est aussi un lieu
d'une beauté étonnante avec des montagnes rocailleuses
comme **Errigal**, des landes élevées, des lacs marécageux
et de larges étendues de plages sablonneuses.

Cette page et la page suivante, *vues de Grianán of Aileach,*
construction qui inspire la crainte, élevée 1500 ans avant notre
ère et utilisée jusqu'au douzième siècle.

Killybegs

La pêche est la raison d'être de cette petite ville abri-
tée par le bras de la **baie de Killybegs**. **Killybegs** est le
port ayant le plus grand succès du pays et ses pubs et
cafés sont bondés de pêcheurs de toute la côte, surtout en juillet, lorsque les pêcheurs à la ligne les re-
joignent pour un festival de deux semaines. Le soir, le
surcroît des eaux est capturé au bord du quai et les
habitants descendent pour faire une pêche facile.

Malin Beg

L'une des plus jolies plages dorées de Donegal; évi-
dée d'un bras rocheux, **Malin Beg** possède un petit
village et se trouve tout à côté des impressionnants
caps de **Bunglass**, hauts de 610 mètres et res-
plendissants de dépôts minéraux.

La péninsule d'Inishowen

Pointant vers la Mer du Nord, la **péninsule d'Inishowen** est presque entièrement encerclée par les eaux:
Lough Swilly, à l'ouest et **Lough Foyle**, à l'est. On

trouve des châteaux, des monastères, des croix chrétiennes et des dalles croisées à **Fahan**, **Carndonagh**,
Carrowmore et Cooley, mais surtout l'ancien fort de
Grianán of Aileach, point saillant de la riche histoire
de la région.

Grianán of Aileach

Construit sur une pointe de terre entre deux lacs intérieurs, **Grianán of Aileach** offre une vue superbe sur
les comtés du nord.
Elevé 1500 ans avant notre ère, on a dit qu'il fut
construit par les anciens dieux, et il est associé, entre
le cinquième et le douzième siècles, au puissant clan
des O'Neill.
Les O'Brien le démantelèrent en 1101 en représailles
pour la destruction de leur place forte à Kincora dans
le Clare. On ordonna à chaque soldat d'emporter
une pierre avec lui. Ce qui reste aujourd'hui doit
beaucoup à la rénovation faite au dix-neuvième
siècle. Le fort de pierre fait 23 mètres de largeur, ses
murs ont 4 mètres d'épaisseur avec, à l'intérieur, trois
rangées de fortification en gradin. Ses remparts
contiennent des pièces et des chemins de garde reliés
par des escaliers.

TYRONE

La verte campagne ondulante du comté de **Tyrone** offre une terre agricole fertile avec, au nord, les monts **Sperrin** qui proposent aux randonneurs de bons lieux d'excursions et, aux observateurs d'oiseaux, de riches récompenses. On trouve éparpillés, ici et là, des sites archéologiques comme, par exemple, le **cercle de monolithes de Beaghmore**. Ces sites, mais aussi les vestiges successifs, sont présentés dans deux centres, le **parc folklorique américain de l'Ulster**, à l'extérieur d'Omagh qui s'intéresse à l'histoire régionale des premiers émigrants vers les Etats-Unis, et le **parc historique de l'Ulster**, près de Gortin.

Le parc historique de l'Ulster

Les premiers établissements humains remontent à 7000 ans avant notre ère et se sont poursuivis jusqu'au dix-septième siècle. Dans ce parc historique les visiteurs pourront admirer les reconstitutions détaillées d'un *crannóg* et d'une ville de colons du dix-septième.

Le parc historique de l'Ulster près de Gortin: en haut, la reconstitution d'un crannóg, en bas, la reconstitution d'une ville de colons du dix-septième siècle.

La cathédrale Saint-Colomb fut construite en 1633, mais le clocher date de l'époque géorgienne.

DERRY

Entourée de puissants murs remontant au dix-septième siècle, la vieille ville de Derry s'élève de façon pittoresque de **Shipquay Street** jusqu'au **Diamond**, un marché, situé à son au sommet. A l'extérieur des murs, et sur l'autre rive de la rivière Foyle, des constructions tardives s'étendent sur la colline. Derry est une ancienne ville, nommée *Doire Cholmcille* ("chêne de Colmcille") d'après saint Colmcille, le clerc, missionnaire et descendant d'un puissant clan du nord qui fonda ici un monastère en 546. La ville occupe un lieu stratégique à l'embouchure du Foyle et fut attaquée plusieurs fois par les Vikings et, plus tard, par les Anglo-Normands. C'est ici le territoire de puissants chefs gaéliques, O'Neill et O'Donnell, et les constantes rébellions contre les Anglais, firent en sorte que leurs terres furent confisquées et qu'ils durent fuir sur le continent en 1607. La porte était alors ouverte pour une colonisation à grande échelle de l'Ulster par les immigrants loyalistes anglais et écossais, et pour les divisions politiques qui existent encore de nos jours. En 1613, Derry fut concédée à la Corporation de Londres et rebaptisée Londonderry, mais aujourd'hui la majorité catholique des deux tiers de la ville utilise avec tact les deux noms. En 1688-89, Derry fut assiégée lorsque les forces fidèles au roi Guillaume résistèrent avec succès durant quinze jours à celles du roi catholique Jacques II. Dans les siècles qui suivirent, l'industrie du lin connut un boom et l'importance de Derry comme port de mer s'accrut. Dans les dernières décennies, Derry fut de nouveau au centre de l'attention. Lorsque le mouvement pour les droits civils manifesta en 1968, les manifestants furent chargés à la matraque par les RUC (forces policières royalistes), un événement considéré comme l'élément déclencheur des "troubles" actuels. Cette ville fut également le théâtre du "Bloody Sunday", lorsqu'en 1972 Derry fut la scène d'une intervention des parachutistes britanniques qui ouvrirent le feu sur la foule, tuant treize personnes. Néanmoins, le conseil municipal de Derry poursuit avec détermination, depuis ces dernières années, une politique non-partisane, et la ville est étonnamment vivante avec une vie artistique et culturelle vigoureuse.

La cathédrale Saint-Colomb

Durant le siège de Derry, cette cathédrale protestante servit de garnison et de tour de guet. Les termes de la reddition furent catapultés au moyen d'un obus conservé dans le portail. La **salle capitulaire** abrite un petit **musée**.

L'hôtel de ville

Juste à l'extérieur des murs de la ville, sur les rives de la rivière Foyle, se trouve l'hôtel de ville restauré depuis peu. Ses beaux vitraux illustrent l'histoire de la ville.

Les murs de la ville

Construits au dix-septième siècle, les murs de Derry ne furent jamais percés, ce qui a valu à la ville le surnom de "ville pucelle". Ponctués par des bastions qui offrent maintenant de jolies perspectives sur la rivière Foyle, **Waterside**, la **fontaine** et le **Bogside**, le circuit complet des murs est à peu près de 1,6 kilomètres. A l'intérieur des murs, le plan de la ville médiévale est préservé formant un **diamant** central avec quatre rues conduisant aux quatre grandes portes de la ville.

L'hôtel de ville sur les quais de la ville et, en bas, la porte Ferryquay.

En haut, *les étranges formations de Giant's Causeway et dont le travail de l'imagination voit en elles la "Cheminée" et la "Harpe". En bas, la plus grande des formations de basalte est connue, pour des raisons évidentes, sous le nom d'"Orgue", elle trompa d'ailleurs un navire de l'Armada espagnole, le Girona, qui crut qu'il s'agissait du château de Dunluce, plus loin, le long de la côte d'Antrim, et fit naufrage.*

ANTRIM

Le **comté d'Antrim** attire plus de visiteurs que tout autre lieu du nord de l'Irlande. Le **Giant's Causeway** est sans doute l'attraction principale, mais il y a aussi de splendides perspectives le long de la côte d'Antrim, de **Fair Head** et **Torr Head**, de longues plages argentées bordées par les dunes de sable de la **baie de Whitepark**, **Portstewart** et **Portrush** de même que de luxuriantes vallées et des chutes dans l'arrière pays d'Antrim.

Giant's Causeway

Il est difficile de croire que le **Giant's Causeway** n'a pas été façonné par des hommes. Une série de gigantesques escaliers de basalte, d'autres formes imaginées par les guides comme la "Cheminée" ou la "Harpe", ont donné naissance à plusieurs légendes explicatives. Finn mac Cumhaill, chef de la bande guerrière connue sous le nom de Fianna, l'aurait construite afin de tenir éloignée son amante sur l'île écossaise de Staffa, où le phénomène du Causeway existe également. La raison est cependant plus prosaïque: une grosse explosion sous-marine, survenue il y a des milliers d'années, souleva le basalte fondu qui se refroidit ensuite en formant ces gros cristaux.

Page précédente, *le "Wishing Chair" sur le Giant's Causeway.*

Cette page, en haut, *longue pente peu profonde de la baie de Whitepark,* au centre et en bas, *le château de Dunluce, place forte du clan MacDonnell, situé périlleusement près des arrêtes des côtes d'Antrim.*

La baie de Whitepark

A l'ouest, le long de la côte du **Giant's Causeway**, s'ouvre un paysage différent: une longue courbe de sable blanc, la **baie de Whitepark**, est bordée par des dunes herbeuses et, dans une dépression de l'une d'entre elles, se trouve une minuscule église que l'on dit être la plus petite d'Irlande.

Le château de Dunluce

Perché sur un éperon rocheux au bord de la mer, le **château de Dunluce** est une vaste ruine. Construit par l'intrépide Sorley Boy MacDonnell, au milieu du seizième siècle, il fut renforcé par les canons du *Girona*, un vaisseau de l'Armada espagnole ayant fait naufrage tout près, embelli d'une élégante loggia unique en Irlande, et d'un manoir dont il ne reste que les murs. En 1639, un banquet fut interrompu lorsqu'une partie du château s'effondra dans la mer, emportant avec elle serviteurs et repas. Une énorme caverne se trouvant sous le château, du côté du cap, et les rafales des vagues durant les tempêtes peuvent expliquer le spectre de la "dame blanche qui balaya le plancher de la tour".

La distillerie de whisky Bushmills

La pittoresque ville de **Bushmills** doit sa réputation au whisky qu'on y distille. En affaire depuis 1608, la Old Bushmills Distillery est la plus ancienne distillerie légale au monde. Traditionnellement, les visiteurs du Giant's Causeway y font une halte afin de se rafraîchir avec quelques verres. Contrairement au Scotch, le whisky de malt de Bushmills est distillé trois fois, ce qui lui confère un goût plus doux, mais les visiteurs de la distillerie peuvent se faire eux-mêmes une opinion à la fin de la visite en buvant un généreux petit verre.

Ballintoy

De l'extrémité orientale de la **baie de Whitepark**, un sentier conduit au port de **Ballintoy**, un brise-lames de calcaire plein de pêcheurs qui se laissent convaincre d'amener les touristes aux îles; ou bien le long de la côte, pour observer le **château de Dunluce** et sa grotte, ou jusqu'à **Sheep's Island** , cet étrange gratte-ciel de pierre à un kilomètre au large, surplombé d'un tapis d'herbe accueillant une colonie de cormorans, ou encore vers **Carrick-a-rede**, une saillie rocheuse reliée à la terre par un pont de corde.

Carrick-a-rede

On trouve une ferme à saumon sur la côte sud-est de l'île de **Carrick-a-rede**, qui existerait depuis au moins 350 ans. La saillie rocheuse se trouve sur le chemin du saumon qui de l'Atlantique retourne à sa rivière d'origine pour frayer: Carrick-a-rede signifie en effet "rocher sur le chemin".

A l'origine, le pont de corde comblait, d'avril à septembre, le gouffre entre l'île et la côte d'Antrim afin de permettre aux pêcheurs d'avoir accès à l'île durant la saison du saumon. Une illustration de 1790 montre un pont de corde à cet endroit. De nos jours, toutefois, il est davantage emprunté par les touristes qui aiment se balancer sur ce pont de corde long de 24 m.

Le pont de corde de Carrick-a-rede unit la pêcherie de saumon à la côte. Aussitôt que vous mettez le pied sur ce pont de corde et de planches long de 24 m, il se balance.

En haut, *Torr Head, d'ici l'Ecosse n'est qu'à dix-neuf kilomètres*, au centre, *un beau panorama sur la côte d'Antrim près de Runabay Head*, en bas, *le village de Cushendun dans les vallées d'Antrim est conservé par le National Trust.*

Torr Head

La **côte d'Antrim** est en elle-même un spectacle, sortant de la mer en saillie, elle plonge dans des baies rocailleuses et émerge de nouveau en une lande austère recouverte de bruyères et de fougères. A **Torr Head**, le **Mull of Kintyre** en **Ecosse** n'est qu'à dix-neuf kilomètres. Plus à l'ouest, à **Fair Head**, là où la route étroite va zigzaguant en montant un cap aiguisé culminant à 183 m, les îles écossaises sont clairement visibles à travers le détroit. Il y a trois lacs intérieurs derrière le cap et sur l'un d'eux, le **Lough na Cranagh**, se trouve une construction nommée "*crannóg*" que l'on trouve également dans le **Lough Erne** dans le **Fermanagh**. Un autre lac intérieur, nommé **Loughareema** est connu pour être le "lac évanescent" car il déborde pour disparaître ensuite dans le calcaire poreux du sous-sol.

Les vallées d'Antrim

Les neuf **vallées d'Antrim** sont célèbres pour leur beauté et les légendes qui s'y rapportent. A **Glenaan**, sur le **Tievebulliagh**, où des éclats de têtes de hache de l'âge de pierre ont été retrouvés, se trouve la tombe d'Ossian, fils de Finn mac Cumhaill le guerrier, et grand poète celte. Les autres vallées sont **Glentaisie**, **Glenshesk**, **Glendun**, la "vallée brune", **Glenballyeamon**, **Glenariff** avec ses chutes magnifiques, **Glencloy** et **Glenarm**.

Glenarm

Dans la vallée la plus méridionale, **Glenarm**, se trouve la résidence des comtes d'Antrim, descendants de Sorley Boy MacDonnell du **château de Dunluce**. En 1603, Randal, le fils de Sorley Boy, y construisit un pavillon de chasse. Il fut ensuite agrandi pour en faire un château qui fut reconstruit en 1817 afin d'inclure des éléments gothiques, Tudor et de l'époque de Jacques Ier, ainsi que des pignons hollandais.

La ville s'est développée autour des carrières de pierre. Le calcaire et la chaux transitent par le port tandis que la pisciculture du saumon obtient ici de très bons résultats.

Carnlough

Situé au bout de **Glencloy**, le village de **Carnlough** voit son économie dépendante du commerce d'exportation du calcaire, dont on trouve des carrières dans les collines environnantes. En effet, une bonne partie de la ville semble avoir été construite à l'aide de cette pierre blanche et brillante, même le port possède un beffroi et un palais de justice en calcaire. De nos jours, le port rénové est une escale pour les plaisanciers, les pêcheurs à la ligne et les chalutiers qui y déchargent des homards et des crabes.

Carrickfergus

Le massif château anglo-normand de **Carrickfergus** fut commencé par John de Courcy dans les années 1180 afin de garder l'entrée du Belfast Lough, mais il fut pris rapidement par Hugh de Lacy et est demeuré tel qu'il apparaît de nos jours. En 1315, désormais propriété de la Couronne, le château et sa garnison purent soutenir un siège d'une année en mangeant les corps de huit des malheureux prisonniers écossais. Après plusieurs revirements historiques, le château revint à la Couronne en 1690. Maintenant rénové et ayant retrouvé son aspect d'origine, il est ouvert au public.

Page suivante, la baie de Carnlough sur la belle côte d'Antrim.

En haut, et en bas à gauche, la pisciculture du saumon à Glenarm, au centre, le port à Carnlough, en bas, le château de Carrickfergus au nord du Belfast Lough a changé plusieurs fois de propriétaires.

BELFAST

Six des neuf comtés de l'ancienne province de l'Ulster forment l'actuelle Irlande du Nord et font partie du Royaume-Uni: Derry, Tyrone, Antrim, Fermanagh, Down et Armagh. **Belfast** est la capitale de l'Irlande du Nord et se trouve dans la vallée de la **rivière Lagan** qui se jette dans une grande mer intérieure. Du nord à l'ouest, s'élèvent le **mont Black**, **Cave Hill** et le **mont Divis**, tandis qu'au sud les collines de Castlereagh se succèdent doucement à travers le **comté de Down**. La ville de Belfast s'est, quant à elle, développée relativement tard. Le dix-septième siècle amena des Huguenots réfugiés de France dont les capacités augmentèrent la force de l'industrie du lin laquelle, avec l'industrie maritime, contribua pendant les siècles suivants à la prospérité de la ville. Belfast eut moins de chance au cours de ce siècle: en effet, la plus grande partie de la ville fut bombardée durant la Seconde Guerre mondiale et les troubles ont également laissé des traces. A l'exception de son centre victorien, Belfast est donc avant tout une ville moderne.

L'hôtel de ville

Le grand rectangle solide qu'est l'hôtel de ville domine le centre de Belfast. Construit en 1888 par les pères de la ville lorsque la reine Victoria conféra à Belfast le statut de ville, il fut complété en 1906 et représente un bon exemple de la pompe victorienne. Ironie du sort, le jeune Londonien Alfred Brumwell Thomas qui dessina le monument en l'honneur de l'orgueil citadin, dut poursuivre les pères de la ville pour que l'on paie ses honoraires. L'édifice carré repose autour d'une cour centrale avec sa coupole de 52 m qui sert de point de repère aux visiteurs.

En haut, *l'hôtel de ville avec son dôme de 52 m qui domine le centre de Belfast*, en bas, *le grand escalier, un monument à l'orgueil citadin.*

Donegall Square

L'hôtel de ville est entouré par la grande architecture victorienne de **Donegall Square** dont un magnifique exemple est le Scottish Provident building, remarquable pour son exubérant parement de pierre. Un édifice de style vénitien, autrefois une usine de lin, est aujourd'hui le siège de Marks & Spencer, tandis que la **Linen Hall Library**, la bibliothèque municipale, s'ouvre également sur Donegall Square.

En haut et en bas, *l'hôtel de ville se trouve au centre de Donegall Square avec ses statues commémoratives remontant à son apogée victorien.*

Albert Memorial

L'une des raisons du lent développement de Belfast réside dans le fait qu'une grande partie des terrains étaient inondés et très marécageux, ce qui n'est pas sans nuire aux fondations des constructions. Des pilotis de 9 à 12 m. ont été enfoncés dans le sol jusqu'à la roche sous-jacente afin de supporter les plus grands bâtiments dans le quartier des docks. L'**Albert Memorial**, un "Big Ben" miniature qui se dresse à la fin des quais de **High Street** a souffert de ce phénomène, si bien que ce beffroi penche de plus d'un mètre d'un côté. Il fut dessiné en 1867 par W. J. Barre, un représentant de l'exubérant style néogothique et possède une statue du prince consort de la reine Victoria, le prince Albert.

A gauche, l'étonnant point de repère de l'Albert Memorial se trouve à la fin du quartier des docks de High Street et rappelle, en bas, le prince Albert, prince consort de la reine Victoria.

En haut et au centre, *la Queen's University dessinée par Sir Charles Lanyon évoque le style Tudor, en bas, le Palm House des jardins botaniques l'un des plus anciens et jolis exemples de verre courbe et de structure de fer.*

Queen's University

La Queen's University est située derrière une rue à la fin de "**the Golden Mile**", une série de restaurants et de pubs qui va de **Great Victoria Street**, passe l'université et continue jusqu'à **Malone Road**. Dessinée par Sir Charles Lanyon, qui fut l'architecte de plusieurs édifices publics et commerciaux de Belfast, et ayant pour modèle le Magdelen College d'Oxford, elle est en brique d'un jaune tendre et sa construction, qui remonte à 1849, est d'inspiration Tudor.

Les jardins botaniques

Près de la Queen's University se trouvent les **jardins botaniques**, ouverts en 1827, qui offrent de nombreuses promenades tranquilles et des jardins de roses. Le **Palm House** est un mélange glorieux de verres courbes et de forte, dessiné une fois encore par Sir Charles Lanyon, et construit par un fondeur de fer, Richard Turner. Il est rempli de plantes tropicales rares, certaines d'entre elles ayant plus de cent ans, et le bâtiment a servi de modèle pour Kew Gardens, à Londres. Le **musée de l'Ulster** se trouve face aux jardins.

Crown Liquor Saloon

Belfast est connue pour ses fantastiques pubs victoriens et edwardiens comme le **Morning Star** à Pottinger's Entry, l'**Elephant Bar** sur Upper North Street, mais le plus extravagant est le **Crown Liquor Saloon** sur Great Victoria Street. Construit en 1885 par Patrick Flanagan, il trahit les influences de ses voyages en Espagne et en Italie. Le bar possède des vitraux, des moulages victoriens élaborés et de délicieuses arrière-salles éclairées par des lampes à gaz et munies de cloches afin d'appeler le serveur. Le Crown a souffert des nombreuses bombes qui frappèrent l'hôtel Europa situé en face. En 1981, le National Trust, propriétaire actuel du bar, entreprit des rénovations méticuleuses et c'est à nouveau un merveilleux endroit pour boire une pinte de Guinness et goûter des huîtres de Strangford Lough.

Pottinger's Entry

Les étroits passages au bout de **High Street** et d'**Ann Street** sont connus comme des "entrées" et conduisent à quelques-uns des meilleurs pubs: le **Morning Star** se trouve à **Pottinger's Entry**, alors que le plus vieux pub de Belfast, le **White's Tavern**, se trouve à **Wine Cellar Entry** et le **Globe** est, quant à lui, à **Joy's Entry**.

En haut, le Crown Liquor Saloon fut fondé dans les années 1880 et sa décoration est extravagante tant à l'extérieur qu'à l'intérieur, en bas.

L'hôtel Europa

L'hôtel **Europa** s'est gagné la réputation malheureuse d'être l'édifice ayant subi le plus d'attentats à la bombe en Europe. Néanmoins, nouvellement restauré en 1994, c'est maintenant *le* lieu où l'on doit être vu en train de prendre un verre et les gens célèbres qui visitent Belfast choisissent d'y séjourner.

Stormont

L'ancien Parlement d'Irlande du Nord avait son siège à **Stormont**, un sobre manoir néoclassique inauguré en 1932 par le Prince de Galles. Dessiné par Sir Arnold Thornley, et construit en pierre de Portland comme celle qui décore l'hôtel de ville, il repose sur du granite provenant des monts Mourne. Il se trouve au bout d'une avenue ayant un peu plus d'un kilomètre, au centre d'un parc situé à 9,6 kilomètres de Belfast.

En haut, Pottinger's Entry est l'un des étroits passages au bout de High Street conduisant vers les pubs les plus intéressants et cachés, en bas et à gauche, l'hôtel Europa s'est gagné la réputation d'être l'hôtel ayant subi le plus d'attentats à la bombe en Europe, en bas et à droite, Stormont, l'hôtel du Parlement, à l'est de Belfast, une avenue ayant un peu plus d'un kilomètre conduit jusqu'à son admirable portique blanc.

Les murals politiques

A l'image de Derry, Belfast possède plusieurs murals politiques dans ses quartiers ouvriers. A **Belfast-Ouest**, les murals catholiques de **Falls Road**, **Shaw's Road** et de **Beechmont Avenue**, évoquent des scènes de la famine de 1845-48, la personnification de la *"Saoirse"*, ou *"Liberté"*, et d'autres symboles républicains. La tradition protestante du mural est significativement différente, le symbolisme est moins complexe comme les drapeaux, les slogans ou la Red Hand of Ulster, bien que parfois apparaisse le roi Billy montant son cheval blanc à la bataille de Boyne. On peut les voir dans les rues **Shankill** et **Crumlin** et tout au long du **Sandy Row**.

Page suivante, en haut, Mount Stewart House était la résidence du vicomte de Castlereagh, au centre, "Hambletonian" par George Stubbs, en bas, la salle à manger à Mount Stewart avec un ensemble de chaises Empire qu'utilisèrent les délégués du Congrès de Vienne en 1815.

Cette page, en haut et au centre, murals catholiques peints aux extrémités et, en bas, à gauche et à droite, murals loyalistes.

DOWN

Le paysage plat et vert de la **péninsule de Ards**, dans le **comté de Down**, embrasse le large espace du **Strangford Lough,** où saint Patrick débarqua pour la première fois. C'est une région riche en vestiges préhistoriques et en sites primitifs chrétiens, comme ceux des **abbayes d'Inch** et de **Grey**, de même qu'en grandes maisons campagnardes telles le **château Ward House** et **Rowallane**. Plus au sud, les **monts Mourne** aux contours accidentés forment la frontière avec la République d'Irlande.

Mount Stewart House

La **Mount Steward House** est célèbre pour avoir accueilli le vicomte de Castlereagh, lequel fut largement responsable de l'Acte d'Union de 1800 qui fondit le Parlement irlandais avec celui de Westminster. La maison fut construite dans les années 1740 et domine le Strangford Lough. Elle a été agrandie au début du dix-neuvième siècle.

Cette demeure possède l'une des plus célèbres peintures d'Irlande, "Hambletonian" de George Stubbs. Elle représente un cheval de course frictionné par un palefrenier après avoir gagné à Newmarket en 1799. La salle à manger contient vingt-deux chaises Empire qu'utilisèrent les délégués du Congrès de Vienne en 1815: le dossier ainsi que le siège de chaque chaise présentent les armoiries de chaque délégué et la nation qu'il représentait.

C'est cependant le jardin qui vaut le spectacle. A l'exception de l'étonnant **Temple des vents**, une salle de banquet construite sur le lac intérieur dans les années 1780, on trouve un jardin à la française, commencé dans les années 1920. Réchauffé par un microclimat inhabituel, les plantes rares du jardin poussent à une vitesse phénoménale.

Newcastle

Au pied du mont **Slieve Donard**, le plus haut sommet de la chaîne des monts Mourne, nichée parmi les premières collines des Monts Mourne, **Newcastle** est une station balnéaire en expansion et un bon point de départ pour explorer les montagnes et les parcs qui l'entourent. Sa plage de sable incurvée, ses piscines, ses centres de loisirs et sa célèbre glace en font un paradis pour les enfants.

Greencastle

Le fort en ruine du côté nord de **Carlingford Lough** regarde son compagnon sentinelle, le **château de Carlingford**, sur l'autre rive. Tous deux furent construits à peu près en même temps au treizième siècle. Confié aux de Burgh, comtes d'Ulster, par la Couronne, **Greencastle** fut plusieurs fois attaqué par les Irlandais. Le château fut agrandi à l'époque où Gerald, huitième comte de Kildare, réclamait le château comme récompense à la rébellion réprimée de 1505. Lorsqu'il tomba en disgrâce, le château revint en 1552, avec sa forteresse jumelle, le château de Carlingford, à Sir Nicholas Bagnall. Il le rendit habitable pour sa famille en remplaçant les meurtrières par de grandes fenêtres et ajouta des foyers. Il appartient aujourd'hui à l'Etat.

En haut, *la station balnéaire de Newcastle est ombragée par le Slieve Donard, le mont le plus élevé de la chaîne des monts Mourne et en bas, Greencastle, une forteresse en ruine du treizième siècle qui garde la partie nord de Carlingford Lough.*

En haut, *vue des monts Mourne, une succession de pics de granite disparaissant souvent sous la brume et qui flanquent le réservoir de Silent Valley, la source d'eau de Belfast, tandis qu'ici et là surgissent des cottages isolés*, en bas, *le célèbre Mourne Wall.*

Les monts Mourne

Les monts Mourne s'étendent au sud de **Newcastle** et à l'ouest vers **Carlingford Lough**. Grandes collines de granite, elles sont apparues il y a 65 millions d'années lorsque des masses de roches en fusion surgirent du sol. A présent, le sommet de ces monts est recouvert de landes, ravivées par la bruyère et l'ajonc, et la partie sud, de prés où fleurissent de nombreuses variétés de plantes. Dans certains secteurs se dressent de vieux noisetiers, des bouleaux et du houx, tandis qu'ailleurs on trouve des plantations de conifères. Les roches à pic et les escarpements isolés des monts Mourne offrent d'importants sites de nidification pour les oiseaux de proie et les faucons pèlerins. On a vu déjà des balbuzards ainsi que des crécelles.

L'une des constructions humaines étonnantes des monts Mourne et le **Mourne Wall**. Il s'agit d'un mur de pierre brute, comme on en trouve sur les îles Aran, et qui est

Cette page, en haut, *le patchwork de petits champs clos par des murs de pierre brute est un souvenir de l'ouest de l'Irlande. En bas, bruyères, ajoncs et genêts égayent de leurs couleurs la lande des monts Mourne.*

Page suivante, *Silent Valley cachée au milieu des sommets des monts Mourne.*

érigé sans mortier. L'habileté du maçon ainsi que le choix attentif de la pierre sont les ingrédients de ces murs faussement robustes mais délicatement équilibrés. D'une longueur de 35,2 kilomètres, et courant le long des sommets les plus élevés des monts Mourne, le Mourne Wall est l'un des plus spectaculaires exemples en Irlande d'un mur en pierre brute. Il est construit de blocs de granite taillés s'élevant à 2,4 m et il a fallu dix-huit ans pour le construire.

Les habitants du lieu disent des monts Mourne qu'ils sont "timides" puisque les nuages recouvrent souvent leurs sommets et qu'on peut rarement les voir. Cela ne décourage cependant pas les randonneurs alpins qui viennent dans cette région. Les randonneurs aiment l'escalade lente de ces flancs et les vues splendides que l'on a du sommet par beau temps. Aucune escalade n'est trop difficile car le plus haut sommet, **Slieve Donard**, ne culmine qu'à 852 m. L'une des plus jolies promenades débute sur la rive de la ville d'**Annalong** et va jusqu'au barrage de **Ben Crom** au-dessus de **Silent Valley**, un immense réservoir qui fournit l'eau à Belfast. De Ben Crom, il est possible de voir le paysage qui s'étend dans toutes les directions, de l'intérieur jusqu'au pays vallonné d'Armagh, au sud à travers Carlingford Lough, plus au nord vers Belfast et plus loin vers la mer.

Cette page, en haut, à gauche, *Armagh se situe, comme Rome, sur sept collines,* en haut, à droite, *le fort de Navan fut construit 2000 ans avant notre ère et l'on croit qu'il fut le site de la légendaire Emain Macha, la capitale de l'Ulster et cour des chevaliers héroïques Red Branch.*

Page suivante, *la cathédrale catholique Saint-Patrick à Armagh.*

ARMAGH

Célèbre en tant que capitale religieuse de l'Irlande, les deux confessions, catholique et protestante, y ont en effet leur siège, Armagh possède une histoire riche et est une ville étonnamment compacte. Perchés sur les sommets de ses collines ou serrés dans ses rues, on trouve les deux cathédrales, le planétarium, la bibliothèque, riche en premières éditions et livres rares, ainsi qu'une élégante promenade géorgienne. A quelques kilomètres d'Armagh se trouvent les plus anciens vestiges du mythique fort Navan.

La cathédrale catholique Saint-Patrick

Armagh est étroitement liée à saint Patrick, le saint patron de l'Irlande. Ayant navigué sur le Strangford Lough, il débarqua à Down, et l'on croit qu'il fonda sa première église à Armagh en 445 sur la colline où se trouve au-jourd'hui la cathédrale de l'Eglise d'Irlande. De l'extérieur, la cathédrale catholique semble plutôt sobre, une autre église du dix-neuvième siècle se trouve sur la petite colline. Toutefois, un regard à l'intérieur, grand et spacieux, révèle un chef-d'œuvre mosaïque d'une éblouissante beauté.

Le fort Navan

On croit que la butte recouverte de gazon de **fort Navan** était **Emain Macha**, l'ancienne capitale de l'**Ulster**. C'est ici que les chevaliers *Red Branch* avaient leur base avec leur grand guerrier Cúchulainn, qui mourut en défendant l'Ulster. On pense qu'ils régnèrent ici jusqu'en 332 avant notre ère lorsque le fort Navan fut rasé au sol et que les chevaliers furent vaincus dans les terres sauvages du Down et du nord d'Antrim. Leurs actions héroïques traversèrent les siècles grâce à la tradition orale et formèrent le *Cycle d'Ulster*.

INDEX

Projet et conception éditoriale: Casa Editrice Bonechi
Responsable de l'édition: Monica Bonechi
Couverture, iconographie et conception graphique: Sonia Gottardo
Mise en page: Fiamma Tortoli
Carte: Studio Grafico Daniela Mariani, Pistoia
Rédaction: Simonetta Giorgi
Texte: Frances Power
Traduction: Christine Bulckaen - Traduco, snc, Florence

© Copyright by Casa Editrice Bonechi, Via Cairoli 18/b, 50131 Florence, Italie.
E-mail: bonechi@bonechi.it - Internet: www.bonechi.com

ISBN 978-88-8029-769-7